D1106412

Hinter den blauen Bergen

Hinter den blauen Bergen

Märchen

von

Ebba Langenskiöld-Hoffmann

*

Mit 8 bunten und 18 schwarzen Bildern
von H. Artelius

Bechtermünz

Unveränderter Nachdruck der Ausgabe des Verlag
A. Anton & Co. Verlags, Leipzig,
durch Weltbild Verlag GmbH, Augsburg 2000
Gesamtherstellung: WordArt Augsburg
Printed in Austria

ISBN 3-8289-6844-9

Das Märchen vom Mondprinzen und der Sonnenprinzessin

Oben im Sonnenreich liegt ein goldenes Schloß. Es liegt in einem wunderbaren Garten, in dem die Blätter und Blüten der Bäume aus reinstem Gold sind. Die Blumen in Gärten und Wiesen mit Kelchen aus leuchtenden Edelsteinen blenden das Auge in unbeschreiblicher Farbenpracht. Goldvögel mit Schnäbeln aus blutrotem Rubin singen dort Tag und Nacht, und das Wasser der Quellen sprudelt durchsichtig und gelb wie schäumender Wein. Da oben ist es nie kalt, und es ist nie dunkel, sondern alles ist von so strahlendem Licht umflossen, daß kein Menschenauge diesen Glanz ertragen könnte.

In dem Schloß wohnt der Sonnenkönig mit seinem Töchterchen, der kleinen Sonnenprinzessin, und mit allen seinen Dienern, den Sonnenstrahlen. Jeden Morgen schickt der König sie in die weite Welt hinaus, und wohin sie auf ihren feurigen Rossen fliegen, da verbreiten sie Licht und Wärme. Abends kehren sie wieder heim; und wenn sie einander dann von all den wunderbaren Erlebnissen draußen in der großen, weiten Welt erzählen, dann lauscht die Sonnenprinzessin gespannt mit großen Augen, und das kleine Herz wird ihr schwer vor Sehnsucht.

Die kleine Prinzessin hat lange, goldblonde Locken, die bis an den Gürtel ihres gelben Seidenkleides reichen; auf dem Kopf trägt sie eine Krone und kleine goldene Schuhe an ihren Füßen. Sie wächst nicht wie du und wird nicht älter, denn im Reich der Sonne sind alle ewig jung: Krankheit, Tod und Zeit haben dort keine Macht.

Eines Abends kam eines der Sonnenstrahlen später nach Hause und erzählte: „Heute war ich weit, weit weg in einem fremden Land, in einem öden, wilden Land, wo ich in dunklen Wäldern ein einsames Schloß aus leuchtendem Silber sah. Dort war es so dunkel, so kalt und so still, als wäre das ganze Land ausgestorben. Nur zwei einsame Gestalten wanderten unter den schattigen Bäumen vor dem Schloß umher, eine Königin in einem Kleid aus Silberstoff mit einer silbernen Krone auf den weißen Haaren, und ein kleiner, bleicher, ernster Prinz, den sie an der Hand führte. Wie gern hätte ich einmal in das Schloß hineingeschaut! Aber meine Zeit war um, und ich mußte schnell den Weg nach Hause antreten, um nicht allzu spät zurückzukommen."

Die kleine Prinzessin hatte eifrig den Worten gelauscht. Sie hatte sich schon immer einen Spielkameraden gewünscht, und jetzt entbrannte ihr Herz in Sehnsucht darnach, mit dem kleinen, einsamen Prinzen spielen zu können. „Hole mir morgen den kleinen Prinzen", bat sie den Sonnenstrahl. Er fragte den König um Erlaubnis, aber der König schüttelte den Kopf. „Was sind das für Dummheiten", sagte er, „die Mondkönigin und der Mondprinz sind stolz und hoffärtig, mit denen will ich nichts zu tun haben." Darum verbot er seinen Dienern, der Prinzessin von ihnen zu erzählen.

Aber die kleine Prinzessin konnte nicht vergessen, was sie gehört hatte. Sie überlegte immer wieder, wie sie es wohl anstellen könnte, um den kleinen Prinzen zu treffen. Nun war unter den Sonnenstrahlen einer ihr besonderer Freund, und dem klagte sie ihre Not. „Du, mein lieber, guter, einziger Freund", bettelte sie, „fliege doch nach dem Silberland und sage dem kleinen Prinzen, daß er nach dem großen Stern, der Erde heißt, hinunterreiten soll. Dort wollen wir uns treffen und miteinander spielen." Zuerst wagte der Sonnenstrahl nicht, den Wunsch der Prinzessin zu erfüllen; aber sie ließ nicht nach, und da sie mit dem Weinen und Betteln gar nicht aufhören wollte, konnte er es nicht mehr über das Herz bringen, sie so traurig zu sehen, sondern flog, so schnell er konnte, nach der entfernten Himmelsgegend, wo das Mondland liegt. Dort traf er den kleinen Prinzen und erzählte ihm hastig und atemlos von der Prinzessin, die sich so heiß darnach sehnte, mit ihm zu spielen.

„Sieh nur, was sie dir da schickt", sagte er und reichte dem Prinzen eine Blume mit goldenen Blättern und einem Kelch aus schimmernden Edelsteinen.

„Davon kannst du haben, soviel du nur wünschst, wenn du nach dem Stern hinunterreitest, den man die Erde nennt. Da unten will die Prinzessin dich erwarten."

Der Prinz hatte nie eine andere Blume als die blassen, traurigen Mondblumen gesehen, und er fand daher die Gabe der Prinzessin wunderbar schön. „Sage der Prinzessin, daß ich kommen werde", sagte er, und der Sonnenstrahl ritt mit dieser freudigen Botschaft wieder nach Hause.

Jetzt wollte die Prinzessin so schnell wie möglich zur Erde reiten. Sie wählte die Stunde, in der ihr Vater seinen gewohnten Abendspaziergang machte, um sich auf einen Sonnenstrahl hinaufzuschwingen, der wie ein Pfeil zum großen, fernen Stern herniedersauste. „Ich muß leider gleich zurück", sagte der Sonnenstrahl, als sie dort angelangt waren, „du darfst aber jetzt nicht erschrecken, wenn es bald völlig dunkel hier unten wird. Nach einiger Zeit werden wir Sonnenstrahlen wiederkommen, und dann wird es wieder hell. Die Zeit, wenn wir fort sind, nennen die Menschen Nacht; dann gehen sie hinein in ihre Häuser, legen sich hin und machen die Augen zu. Wenn wir wiederkommen, sagen sie, daß es Tag ist; dann stehen sie auf und kommen heraus, um uns zu begrüßen. Am Tage mußt du dich versteckt halten, denn wenn einer der anderen Sonnenstrahlen dich erblicken würde, so würde er sofort mit dir wieder nach Hause fliegen."

Der Sonnenstrahl nickte freundlich der kleinen Prinzessin zu und verschwand. Bald war es ganz dunkel. Der Prinzessin war es recht unheimlich zumute, denn sie war ja noch nie im Dunkeln gewesen. Aber plötzlich fiel ihr ein, daß sie ja nach dem kleinen Prinzen suchen müsse, und dieser Gedanke verscheuchte ihre Furcht. Der Sonnenstrahl hatte sie auf eine große Heide hinuntergetragen, und über diese schritt sie jetzt mit mutigen Schritten vorwärts. Sie wanderte lange, und als es anfing, am Horizont hell zu werden, versteckte sie sich in einem dichten Gebüsch, dessen Laubwerk sie vor den Sonnenstrahlen verbarg. In der nächsten

Nacht wanderte sie weiter, aber sie fand auch da den kleinen Prinzen nicht.

Die Mondstrahlen hatten ihn in der Morgendämmerung zur Erde hinuntergetragen und ihn ermahnt, sich nur am Tage draußen sehen zu lassen. Nachts könne seine Mutter ihn erblicken und ihn gleich wieder zurückholen lassen.

Der Prinz wanderte am nächsten Tage lustig weiter, erstaunt und entzückt über diese Helle, die ihn umgab. „Wie schön, wie herrlich ist die Erde!" dachte er. Bald kam er in eine große Stadt. Die Menschen, die ihm begegneten, blieben alle einen Augenblick stehen und starrten den fremden, kleinen Knaben mit den feinen Silberkleidern und der goldenen Blume im Knopfloch verwundert an. Ein alter, freundlicher Herr, dem er so einsam und verlassen vorkam, fragte ihn, wohin er wolle und wen er suche. „Ich bin der Mondprinz", antwortete er mit glockenreiner Stimme, „ich suche die Sonnenprinzessin. Hast du sie wohl gesehen?" Dem alten Herrn schien diese Antwort sonderbar, und er nahm den Prinzen mit zu einem Bekannten, der Arzt war. Er untersuchte den Knaben und stellte ihm vielerlei Fragen. Dann erklärte er, daß etwas im Kopfe des Prinzen nicht in Ordnung sei, und jemand, der so verrückt schiene, müsse eingesperrt werden. Und dabei blieb es. Man sperrte den Prinzen in ein enges, düsteres Zimmer mit vergittertem Fenster und ließ den Kleinen zitternd vor Furcht und Angst allein. Aber als die Dämmerung sich über die Erde senkte, schlich ein Mondstrahl leise zu dem Prinzen hinein. Er hatte es eilig gehabt, wieder zur Erde hinunterzukommen, um zu sehen, wie es wohl dem Prinzen ergangen sei. Wer von den beiden sich über das Wiedersehen am meisten freute, ist schwer zu sagen. Schnell trug der Mondstrahl den Prinzen aus dem Gefängnis und versteckte ihn gut, damit seine strenge Mutter ihn nicht entdecken sollte.

Am nächsten Morgen wanderte der Prinz weiter, um die Prinzessin zu suchen. Draußen vor der Stadt kam er an einen großen, dunklen Wald. Und als er furchtlos durch den tiefen Wald wanderte, begegneten ihm einige Räuber. Sie raubten ihm seine schönen Kleider und seine goldene Blume, zogen ihm dafür ihre alten, schmutzigen Lumpen an und zwangen ihn, mit ihnen in die Stadt zurückzukehren, um dort von Tür zu Tür zu betteln. Der kleine Prinz wollte zuerst nicht betteln, denn sein Stolz sträubte sich dagegen. Aber die Räuber hatten dicke Knüppel in den Händen und ließen sie auf seinem Rücken tanzen, bis er nachgab. Als die Menschen das blasse, ängstliche Gesicht des Knaben sahen, wurden ihre Herzen weich, und sie gaben ihm gern ein Almosen. Aber das Geld steckten die Räuber in ihre eigenen Taschen. Am Abend gingen sie in ein schlechtes Wirtshaus. Sie fesselten den Prinzen und ließen ihn mitten zwischen sich auf dem Boden liegen. An diesem Abend und noch an vielen anderen Abenden suchten die Mondstrahlen vergebens nach ihrem Prinzen. Das Wirtshaus, in dem die Räuber ihr Nachtquartier hatten, lag in einer so engen Gasse, daß die Mondstrahlen nicht zwischen den hohen Häusern hineinfinden konnten. Aber endlich schliefen die Räuber eine Nacht draußen im Freien. Wie erschraken da die Mondstrahlen, als sie den Prinzen fanden und sahen, wie er mißhandelt war. Eilig lösten sie seine Fesseln und flogen mit ihm seiner Heimat zu. Er weinte vor Freude darüber, daß er wieder zu Hause war, und erzählte seiner Mutter alles, was er erlebt hatte. Und selbst ihr hartes, kaltes Herz wurde weich bei seiner Erzählung, und sie verzieh ihm alles.

Währenddessen suchte die Prinzessin jede Nacht nach dem Prinzen, aber tagsüber hielt sie sich versteckt. Sie war schon durch viele Länder gewandert, immer weiter nach Norden. Es wurde immer kälter, aber sie fror nie, denn sie selbst strömte eine innere Wärme aus. Keine Nacht war ihr zu dunkel, denn sie erleuchtete selbst ihren Weg mit einem schwachen, goldenen Schein. Hunger, Durst und Müdigkeit waren ihr auch fremd. Alle Tiere liebten sie und folgten ihr gerne, so daß sie oft von einer ganzen Schar und von vielen Vögeln umgeben war. Oft benutzte sie sie als Boten und sandte sie nach allen Richtungen aus, um nach dem Prinzen zu suchen, aber sie kamen immer unverrichteterdinge zurück. Von den Tieren lernte sie, sich vor den Menschen zu fürchten, und sie flüchtete immer scheu ins Dickicht, wenn sie einen Menschen in der Ferne kommen sah. Aber wenn niemand sie sehen konnte, schlich sie gern an die Häuser heran und guckte neugierig durch die erleuchteten Fenster.

Wie seltsam kamen die Menschen und ihre Sitten der kleinen Sonnenprinzessin vor! So spähte sie eines Abends durch das Fenster eines armseligen Hüttchens im Walde, und dicht am Fenster drinnen im Zimmer erblickte sie ein kleines, krankes Mädchen. Es lag ganz still in seinem Bettchen, wimmerte nur ganz leise und sah mit großen, fiebrigen, sehnsüchtigen Augen in die Baumwipfel hinauf. Die Prinzessin wußte nicht, warum ihr Herz plötzlich so unbändig pochte; sie hatte ja noch nie jemanden leiden sehen, und für sie gab es überhaupt keine Schmerzen. Warum wurde ihr denn das Herz so schwer? Wie hätte sie wohl dem kleinen Mädchen eine Freude bereiten können? Sicher war es nicht böse wie die anderen Menschen. War es wohl richtig, was die Tiere erzählten? — Leise zog die Prinzessin ihre goldenen Schuhe aus und stellte sie auf das Fenstersims. Würden wohl die müden, traurigen Augen aufleuchten, wenn sie die goldenen Schuhe sahen?

Während sie dies alles bedachte, kam jemand ins Zimmer, und die Prinzessin flüchtete mit hastigen Sprüngen in den tiefen Wald zurück.

Ein anderes Mal traf sie zwei kleine Kinder, die sich im Walde verirrt hatten. Sie saßen auf einem umgestürzten Baumstamm eng aneinandergeschmiegt, fröstelnd und weinend. Die Prinzessin setzte sich neben sie und versuchte sie zu wärmen und zu trösten. Aber sie starrten erschrocken und wie versteinert auf die märchenhafte Gestalt, ohne zu antworten. Die Prinzessin wurde ganz traurig, als sie sah, daß sie sich vor ihr fürchteten; und da sie sie nicht beruhigen konnte, bat sie einen Fuchs, der in ihrem Gefolge war, den Kindern den Heimweg zu zeigen.

Als die Prinzessin weit, weit gegen Norden gewandert war, kam sie in eine öde, wilde Gegend. Hohe, weiße Schneeberge versperrten ihr den Weg. An deren Fuß sah sie ein paar armselige Hütten liegen. Sie näherte sich vorsichtig dem ersten Häuschen und guckte durch das Fenster. Drinnen saßen ein Mann und eine Frau. Die sahen beide so traurig aus, daß ihr Herz sich wieder vor Mitleid zusammenpreßte.

„Warum sind sie denn so traurig?" fragte sie den Kettenhund, der draußen vor der Tür lag.

„Es ist so kalt hier", antwortete der Hund, „daß nichts wachsen und gedeihen kann; die Leute sind so arm und haben nichts zu essen. Sobald sie etwas pflanzen oder säen, kommen die kleinen Eismännchen von den Bergen herunter und hauchen es an. Dann ist am nächsten Morgen alles schwarz und verwelkt."

„Die bösen Eismänner", sagte die Prinzessin, „ich will gleich hinaufklettern und ein Wort mit ihnen reden."

Sie war ganz aufgeregt und fing gleich an, den steilen Hang hinaufzuklettern. Bald war sie hoch oben, wo keine Bäume und Pflanzen mehr

wachsen, sondern nur dürftiges Moos den harten Fels bedeckt. Eine Weile später war sie im Reich des Schnees und Eises angelangt. Hier oben sah sie viele kleine Gestalten eifrig umherlaufen, alle in weiße, zottige Felle gekleidet. Böse Äuglein unter langen, weißen Haaren sahen sie an, und einige Männchen blieben stehen und strichen mit den Fingern durch die langen, weißen Bärte.

„Wer kommt denn da?" flüsterten sie einander zu. Dann gingen sie wieder an ihre Arbeit, aus Schnee und Eis Paläste, Blumen und Tiere zu formen. Es war so kalt da oben, daß sogar die kleine Prinzessin fror, als sie mit ihren bloßen Füßen durch den tiefen Schnee watete. Sie war so eifrig geklettert, daß sie gar nicht gemerkt hatte, wie der Himmel allmählich heller wurde. Erst jetzt gewahrte sie, daß der Tag anbrach, und sie sah sich verzweifelt nach einem Versteck um. Aber es gab keines.

Die ersten Sonnenstrahlen guckten gerade über den Horizont und erblickten gleich die kleine Prinzessin oben auf dem Berge. Und ehe sie sich's versah, hatte einer von ihnen sie erfaßt und trug sie im Triumph heim zu ihrem Vater. Der König war sehr besorgt gewesen, wo seine kleine Prinzessin wohl hingekommen sei, und hatte seine Diener überall in die Welt hinausgeschickt, um nach ihr zu suchen. Jetzt war er so glücklich darüber, sie wiederzuhaben, daß er es gar nicht über sich bringen konnte, sie zu bestrafen. Statt dessen schloß er sie in seine Arme und war von Herzen froh.

Jetzt lebte die Prinzessin eine Weile ruhig und fröhlich bei ihrem Vater. Wie lange, kann ich nicht genau sagen, denn im Sonnenreich gibt es keine Zeit — vielleicht war es ein Jahr, aber ebensogut können es hundert Jahre gewesen sein. Ihren Wunsch, mit dem kleinen Silberprinzen zu spielen, hatte sie aber nicht vergessen. Sie überlegte und überlegte immer wieder, wer sie wohl nach dem fernen Land bringen könnte. Da segelte eines Tages eine große, weiße Wolke dicht unter der Sonne vorbei.

„Wohin fährst du, große Wolke?" rief die Prinzessin.

„Weit, weit nach dem Westen zu, an Sonne und Mond vorbei", antwortete sie.

„Nimm mich mit, nimm mich mit", rief sie dann. Aber die Wolke achtete nicht auf ihre Bitte, sondern segelte ruhig weiter. Da machte die Prinzessin schnell entschlossen einen Sprung über den Sonnenrand, gerade auf die Wolke hinunter. Sie tat sich gar nicht weh dabei, denn die Wolke war ganz weich und mollig.

Das war eine herrliche Fahrt! Die Prinzessin bettete sich tief in die Wolke hinein und zog ein paar Wolkenfetzen über sich, damit die Sonnenstrahlen sie nicht entdecken sollten. Nur ein kleines Guckloch ließ sie sich offen und sah nun, wie schnell sie unter dem blauen Himmel dahinsegelten, wie andere Wolken auftauchten und wieder verschwanden. Die Wolke brummte mißgelaunt, weil sie jetzt einen Umweg machen mußte, um die Prinzessin beim Mond absteigen zu lassen.

„Vielen Dank, du gute, alte Wolke", sagte die Prinzessin höflich. Sie wanderte jetzt in das Mondland hinein und kam bald zu einem klaren, spiegelnden Wasser. Silberweiden standen ringsherum, und der Wind säuselte wehmütig in ihren hängenden Zweigen. Auf einem Stein saß der blasse, kleine Prinz und schnitzte an einem Boot.

„Guten Tag", sagte die Prinzessin, „ich bin die Sonnenprinzessin, und ich bin hierhergekommen, um mit dir zu spielen."

„Leise, leise", sagte der Mondprinz, „du darfst nicht so laut sprechen, denn dann könnte meine Mutter dich hören." Er nahm sie bei der Hand und führte sie zu einer großen Wiese. Da wuchsen viele blasse Blümchen, durchsichtig und fein, spröde und schüchtern, aber keine Schmetterlinge flatterten umher, keine Insekten summten und keine Vögel sangen.

„Wie still und langweilig du es hier hast", sagte die Prinzessin, „wollen wir nicht spielen?"

„Ja, wie macht man denn das?" fragte der Prinz. Er war nie mit anderen Kindern zusammen gewesen und kannte nur die Beschäftigungen der Erwachsenen. Die Frage fand die kleine Prinzessin so komisch, daß sie laut auflachen mußte.

Da hörte die Mondkönigin das Lachen und kam aus dem Schloß heraus. Als sie die Kleine sah, wurde ihr Gesicht noch strenger und kälter als sonst.

„Hier darfst du nicht sein", sagte sie, „weißt du nicht, daß dein Vater und ich verfeindet sind?" Sie rief einen ihrer Diener und befahl ihm, die Prinzessin mit dem silbernen Schiff, das an dem Mondstrand vor Anker lag, zum nächsten Stern zu fahren. „Du kannst dann selbst sehen, wie du wieder nach Hause findest", sagte sie, drehte sich um und ging in das Schloß zurück.

Der kleine Prinz bat und bettelte, daß der Mondstrahl ihn doch auf die Fahrt mitnähme. „Wir werden ja gleich wieder zurück sein", sagte er, „und du weißt, daß meine Mutter mir nie verboten hat, die Sterne zu besuchen." Und so wurde auch er in dem Schiffe mitgenommen.

Als das Schiff sich einem der Sterne näherte, hörten die Kinder liebliche Musik und den Gesang feiner Kinderstimmen. Und als sie ans Land stiegen, sahen sie Hunderte und Hunderte von kleinen Kindern mit Sternchen in den Haaren und mit weißen Sternblümchen in den Händen auf einer großen Wiese tanzen. Die Wiese stand voll duftender Blumen, und als der Wind darüberstrich klang es leise wie von tausend feinen Glöckchen.

„Kommt und tanzt mit uns", riefen die Sternenkinder und zogen den Prinzen und die Prinzessin in ihren Reigen hinein.

Hier möchte ich am liebsten bleiben, dachte die Prinzessin. Aber ein Engel, der die Kinder behütete, kam zu ihnen und gebot ihnen, weiterzufahren. „Diese Kinder", sagte er, „sind die Seelen der ungeborenen Erdenkinder und die Seelen derer, die als ganz kleine Kinder auf der Erde gestorben sind. Hier dürft ihr nicht bleiben."

Er klatschte in die Hände; da kam eine große weiße Taube geflogen.

„Nimm die Prinzessin und trage sie in das Land der Sonne zurück", sagte der Engel, „und du, Prinz, kehre zurück in dein Reich."

Die Prinzessin sagte den kleinen Sternenkindern traurig Lebewohl und küßte zum Abschied den kleinen, blassen Mondprinzen. Als sie nach Hause kam, hatte ihr Vater nicht einmal gemerkt, daß sie fortgewesen war.

Von dem Tage an war die Prinzessin stiller und nachdenklicher als früher. Sie sehnte sich oft nach dem Mondprinzen und den Sternenkindern, aber sie sah sie niemals wieder.

Das Märchen von den Blumen des Abendrotes

In einer bergigen Gegend wohnte einmal in einem ärmlichen Häuschen eine Witwe mit ihrem einzigen Sohn. Sie waren sehr arm, denn die Erde war unfruchtbar und mager. Zu allem Unglück wurde die Witwe eines Tages schwer krank. Lange lag sie in hohem Fieber, und als sie sich etwas besser fühlte und versuchen wollte, aufzustehen, da merkte sie, daß ihr Rücken und ihre Beine lahm waren, so daß sie sich nicht mehr bewegen konnte. Der Sohn mußte jetzt alle Arbeit im Hause allein verrichten und dazu noch die Mutter pflegen, als ob sie ein kleines Kind wäre. So vergingen einige Jahre, aber es zeigte sich keine Besserung. Die Mutter wurde immer schwächer und schwächer. Aber der Sohn liebte sie über alles in der Welt, und schließlich konnte er es nicht mehr ertragen, sie so leiden zu sehen.

„Ich will in die Welt hinaus gehen und überall fragen und suchen, bis ich ein Heilmittel für sie finde", dachte er, „und wenn die Menschen keinen Rat mehr wissen, dann gehe ich zu den Hexen und Trollen."

Mitten in der Nacht stand er auf und ging an das Bett der kranken Mutter: „Habe noch ein bißchen Geduld, Mutter", sagte er, „ich gehe jetzt fort, um dir ein Heilmittel zu suchen, und ich bin ganz sicher, daß ich auch eines finde. Bald werde ich wieder hier sein." Er ging hinüber in den Nachbarhof und bat, daß man nach seiner Mutter sehen möge, solange er selbst fort sei.

Es war eine dunkle, kalte Nacht. Nur der Mond beleuchtete seinen einsamen Weg. An einem Kreuzweg stand ein alter, weißhaariger Mann, der sich auf einen langen Stab stützte. „Warum hast du es so eilig, mein junger Freund?" fragte der Alte. Der Junge erzählte ihm, was er suche. „Welch ein glücklicher Zufall, daß du mich hier getroffen hast", sagte der Mann, „denn ich weiß ein sicheres Heilmittel für alle Krankheiten. Es hilft, wo sonst alle anderen Mittel versagen. Hast du gesehen, wie die Gipfel der Berge da drüben abends rot leuchten? Weißt du, warum? Weil das Abendrot auf dem Rücken des Windes geflogen kommt und die schönsten, roten Blumen über den kahlen Stein streut. Sie leuchten und glühen nur einige Minuten, dann verwelken sie und schrumpfen zusammen. Versuche es, eine solche Blume zu finden. Sobald du sie gepflückt hast, mußt du dich in den linken Ringfinger schneiden und ein paar Blutstropfen in den Blütenkelch fallen lassen. Dann bleibt die Blume immer frisch und schön und verwelkt nicht wie andere. Wenn du sie dann auf den kranken Rücken deiner Mutter legst, wird sie gewiß wieder gesund."

Der Knabe dankte freudig für den Rat. Er hätte so gern den seltsamen alten Mann gefragt, wer er sei und woher er komme, aber er wagte es nicht. Da sagte der Alte, als habe er seine Gedanken erraten: „Ich habe eine Bitte an dich; mir folgen so viele böse Gedanken und Wünsche, denn ich bin der verbannte, ewig wandernde Jude. Denke zuweilen mit freundlichen Gedanken an mich." Er blickte den Jungen mit seinen großen, müden, glanzlosen Augen an, nickte ihm zu und wanderte fort in die Nacht. Der Knabe sah ihm nach, bis er verschwand, dann ging auch er seines Weges weiter.

Bei Sonnenuntergang stand er am Fuß des Berges und sah die Gipfel in rotem Schimmer erglühen. Am nächsten Abend war er schon hoch oben auf dem Berg und ruhte auf einem Stein aus in der Erwartung, daß das Abendrot kommen würde. Aber der Himmel bedeckte sich mit großen Wolken, und es begann zu regnen. Auch die nächsten Tage regnete es in Strömen, aber eines Nachmittags sah er endlich ein Stückchen blauen Himmels, und die Sonne lugte aus den Wolken hervor. Am Abend, kurz vor Sonnenuntergang, hörte der Knabe ein Brausen in der Luft, und er sah, wie sich die Berggipfel rot färbten. Auch wo er stand, wurde der kahle Steingrund leuchtend rot, und er glaubte, die schönsten Blumen darüber verstreut zu sehen. Aber als er sich bückte, um sie zu pflücken, verschwanden sie, und er fühlte unter den Fingern nur den kalten Stein. Da wurde er mutlos, kauerte auf dem nassen Boden und verbarg das Gesicht in den Händen.

Als er wieder aufsah, war der Glanz erloschen; es war dunkel, und große, kalte Sterne blickten vom Himmel auf ihn herab. Plötzlich sah er einen schwarzen Punkt oben in der Luft, der beständig wuchs und näher kam. Es war ein riesengroßer, schwarzer Vogel, der sich gerade vor ihm auf dem Berg niederließ. Der Knabe fürchtete sich vor einem so großen Vogel, aber er verbarg seine Angst.

„Was machst du hier oben, kleines Menschenkind?" fragte der Vogel mit lauter, krächzender Stimme. „Du bist der erste, der sich auf meinen Berg gewagt hat."

Da erzählte der Knabe, was er hier oben suche.

„Ach", rief der Vogel aus, „hier oben kannst du nicht die Blumen des Abendrots pflücken! Wenn sie den Bergkamm berührt haben, dann sind sie schon verwelkt. Du mußt sie im Garten des Abendrots, weit weg von hier, hinter dem Ende der Welt suchen."

„Wie soll ich dorthin finden?" fragte der Knabe.

Der Vogel dachte eine Weile nach, dann antwortete er: „Ich bin der Wächter der Nacht, und in klaren Nächten werde ich hierhergeschickt, um Ausschau über die Welt zu halten. Am Morgen, wenn es zu dämmern beginnt, muß ich wieder ins Reich der Nacht zurück, das östlich von der Sonne und westlich vom Monde liegt. Von dort ist es nicht weit bis an das Ende der Welt. Ich könnte dich dorthin auf meinem Rücken tragen, wenn du versprechen willst, mir einen Gegendienst zu leisten: In einem Baum im Garten des Abendrots nistet nämlich ein Adler, der jedes Jahr ein goldenes Ei legt. Dieser Adler ist der Wächter des Tages, und solange die Sonne scheint, ist er von seinem Neste fort. Nimm das Ei und gib es mir. In jeder klaren Nacht kannst du mich hier treffen. Aber nimm dich in acht, daß die Schlange, die sich um den Fuß des Baumes ringelt, dich nicht erwischt, denn sonst bist du verloren."

Der Knabe dankte dem Vogel, und als es zu dämmern begann, setzte er sich auf dessen breiten Rücken, und der Vogel flog mit ihm fort bis an das Ende der Welt. Es ging rasend schnell; er fühlte, wie ihm schwindelig wurde, und er wäre beinahe von dem Rücken hinabgeglitten, da er auch vor Hunger und Durst ganz schwach geworden war.

„Halte dich besser fest", sagte der Vogel, „was fehlt dir?"

„Mir wird ganz schwindelig", sagte der Knabe, „und ich bin vor Hunger und Durst ganz erschöpft."

„Dem ist leicht abzuhelfen", meinte der Vogel. „Am Ende der Welt liegt ein großes Meer, und am Strande wächst eine kleine, unansehnliche Pflanze. Wenn du einige Blätter davon pflückst und daran riechst, dann spürst du weder Müdigkeit noch Hunger und Durst mehr."

Bald waren sie an das große, weite Meer gekommen, das hinten am Horizont mit dem Himmel verschmolz. Graue, kalte Wellen schlugen gegen den Strand. „Jetzt habe ich keine Zeit, weiterzufliegen", sagte der Vogel, „ich muß zu Hause sein, ehe die Sonne aufgeht." Er zeigte dem Knaben noch, wo das wunderbare Pflänzchen wuchs, dann schwang er sich mit kräftigen Flügelschlägen in die Luft und flog davon.

Der Knabe irrte am Strand umher und suchte nach einem Boot, das ihn nach dem anderen Ufer hinüberbringen könnte, aber er fand keins. Da erblickte er plötzlich ein uraltes Mütterchen, das auf einem Stein saß und über das Wasser hinausspähte. Es beschattete die Augen mit seiner verschrumpelten, zitternden Hand, und sein Kopf wackelte auf den Schultern vor Altersschwäche.

„Guten Tag, Mütterchen", sagte der Knabe, „kannst du mir vielleicht sagen, wie ich über dieses Meer gelangen kann?"

Die Alte hob erstaunt den Kopf. „So viele tausend Jahre sitze ich schon hier, und noch niemals sah ich einen Menschen an diesem Strand. Was willst du hier und wie bist du hierhergekommen?"

Der Knabe erzählte dem alten Mütterchen alles.

„Weißt du, wer ich bin?" fragte die Alte.

„Nein, wie soll ich das wissen!" antwortete der Knabe.

„Ich bin die Zeit", sagte sie, „und seit Anbeginn der Welt habe ich hier gesessen. An jedem Neujahrsabend werfe ich einen kleinen Stein in das Meer. Eines Tages wird das Meer von Steinen ausgefüllt sein. Dann kommt der Untergang der Welt. Aber es wird noch eine gute Weile dauern bis dahin. Oft fühle ich mich so alt und müde und wünsche, daß ich bald abgelöst werde."

Hier schwieg sie einen Augenblick. Dann fuhr sie fort: „Im Garten des Abendrots wächst ein wunderbarer Baum. Wer von seiner Frucht ißt, wird wieder jung und kräftig. Ich will dir über das Meer helfen, wenn du versprichst, mir einige von den wunderbaren Früchten zu holen. Aber hüte dich, daß die Schlange, die sich um den Baumstamm ringelt, dich nicht erblickt, denn sonst bist du verloren."

Die Alte bückte sich und nahm eine Muschelschale und einen Strohhalm auf, die die Wellen an den Strand gespült hatten. „Hier hast du ein Boot und einen Mast", sagte sie „und hier hast du das Segel." Sie steckte den Strohhalm durch ein welkes Blatt und befestigte beides an der Muschelschale. „Steig jetzt in das Boot."

„Wie soll ich darin Platz haben?" fragte der Junge verzweifelt, „dieses Boot ist ja nicht größer als mein kleiner Finger."

„Tu, was ich dir sage", befahl die Alte herrisch, und der Knabe mußte gehorchen. Und siehe, als er die Fußspitze in die Muschelschale setzte, wuchs sie und wurde so groß, daß sie ihn gut tragen konnte. Das Segel schwoll, der Strohhalm wuchs und wurde steif und fest, ein Windstoß kam und warf das kleine Fahrzeug auf das weite Meer hinaus. Ganz einsam und verlassen fühlte sich der Knabe. Kein anderes Boot war zu sehen, und als der Strand hinter ihm verschwunden war, sah er ringsum nur noch Wasser und Himmel.

Als er lange gesegelt war, sah er am Horizont ein Land auftauchen, und als er näher kam, hörte er eine überirdisch schöne Musik. Sein Boot führte ihn rasch vorwärts, und bald konnte er ans Land steigen.

„Ist dies das Land des Abendrots?" fragte er eine lichte, freundliche Gestalt mit großen, weißen Flügeln, die ihm entgegenschwebte.

„Nein, du hast dich verirrt", antwortete sie, „hier ist die Insel der Träume. Willst du nicht eine Weile hier ausruhen?"

Der Knabe sah einen großen Park mit schattigen Baumgruppen und Wiesen mit schönen Blumen, und er sah viele Nebelgestalten dort spielen. Einige ruhten im Grase, während andere große Sträuße von bunten Blumen pflückten.

„Dies sind die Seelen der Schlafenden, die sich eine kurze Weile auf unsere Insel flüchten dürfen", sagte der Engel. „Der Knabe setzte sich einen Augenblick in das weiche Gras, um der wunderbaren Musik zu lauschen, die aus den Steinen der Erde und aus der Luft ertönte. Er hörte die Bäume und die Blumen mit melodischen Stimmen ihm wunderbare Märchen zuflüstern. Ringsumher wuchsen Blumen mit hohen Stielen, und plötzlich gewahrte er, daß zusammengerollte, versiegelte Blätter daran hingen. Er ergriff neugierig eins von den Blättern und wollte es gerade aufwickeln, als ihm ein Engel eine Hand auf die Schulter legte. „Auf jedem Blatt ist ein Traum geschrieben", sagte er, „aber nur im Schlaf dürfen die Menschen seine Schrift deuten. Und wenn sie wieder zur Erde zurückkehren, müssen sie das Blatt hier zurücklassen. Daher geschieht es oft, daß ein Mensch mehrmals denselben Traum pflückt."

„Und wie kommt es, daß man sich zuweilen eines Traumes, den man in der Nacht gehabt hat, erinnert, zuweilen ihn aber gleich vergißt?" fragte der Knabe.

„Hier auf der Insel gibt es eine singende Quelle", antwortete der Engel. „Wer seine Stirn mit einigen Tropfen Wasser daraus benetzt, behält auch beim Erwachen den Traum in der Erinnerung. — Und hier wachsen die bösen Träume", sagte er dann und wies auf große Stauden von Disteln und Nesseln, die am Rande des Parks wuchsen.

Ein starkes Sausen in der Luft veranlaßte den Knaben, aufzublicken, aber seine Augen wurden derart geblendet, daß er sie schnell wieder senken mußte. Gerade über seinem Haupte flog ein großer Vogel vorüber, von lodernden Flammen umgeben. „Es ist der Vogel Phönix, der Wächter unserer Insel", erklärte der Engel. „Jeden Tag, wenn die ersten Sonnenstrahlen seinen Körper berühren, gerät er in Brand und vergeht in den Flammen. Aber jeden Abend ersteht er neu aus der Asche, ebenso jung und ebenso schön."

Der Knabe hätte noch viel Wunderbares sehen und hören können, aber er wollte nicht länger verweilen, sondern nahm Abschied von dem Engel und bestieg wieder sein Fahrzeug. Bald verschwand die Insel der Träume am Horizont.

Jetzt tauchte eine andere Insel am Horizont auf. Als der Knabe näher kam, sah er, daß sich die Felsen an einer Stelle öffneten, um für ein enges, dunkles Tal, dicht mit Zypressen bewachsen, Raum zu lassen.

„Ist dies das Land des Abendrots?" fragte sich der Knabe. Er wollte gerade am Strand anlegen, als eine dunkle Gestalt mit großen, schwarzen Schwingen aus dem Dunkel des Tales heraustrat und ihm verbot, näher zu kommen. „Was willst du, Lebender, auf der Insel der Toten?" fragte die Erscheinung. Sie hob warnend die Hand, ein Windstoß kam gefahren und warf das Boot des Knaben weit fort von der düsteren, schweigenden Insel.

Wieder trieb er lange auf dem Meer herum, ehe er ein neues Land erblickte. Er fragte einen Vogel, der über dem Boot kreiste, nach dem Namen der Insel und erfuhr, daß er jetzt endlich sein Ziel erreicht hatte. Als er ans Land gestiegen war, stand er dicht vor dem Garten des Abendrots. Eine hohe, goldene Mauer umgab ihn, aber er sah durch eine Spalte die roten Blumen darin wie einen leuchtenden Teppich über dem Boden, und er sah einen mächtigen Apfelbaum, schwer beladen mit saftigen Früchten, und hoch oben in einem anderen Baum sah er einen Adlerhorst, in dem das goldene Ei in der Sonne funkelte, daß ihm die Augen weh taten. Der Knabe ging an der Gartenmauer entlang und fand eine große Tür, die aber mit einem goldenen Schloß und starken Riegeln verschlossen war.

„Heute abend, wenn das Abendrot hinausfliegt, wird sie wohl geöffnet sein, so daß ich mich hineinschleichen kann", dachte er. Und er hatte richtig geraten. Gegen Abend wurde die Tür wie durch einen Zauberschlag geöffnet, und auf dem Rücken des Abendwindes flog das Abendrot über das Meer fort. Der Knabe, der sich hinter einem großen Stein versteckt hatte, ging jetzt in den Garten hinein und pflückte eine der Blumen. Aber das Adlerei und die Äpfel konnte er nicht erreichen, denn die beiden Bäume wurden wohl bewacht von zwei großen Schlangen, die sich um die Stämme ringelten.

„Wie könnte ich wohl die Schlange fortlocken?" dachte er. Er verbarg sich unter einem Strauch tief drinnen im Garten und lag dort die ganze Nacht und auch den folgenden Tag auf der Lauer, aber die Schlangen entfernten sich auch nicht einen Augenblick von den Bäumen. Speise und Trank wurde ihnen vom Abendwind gebracht. Am nächsten Abend, als die Tür wieder geöffnet wurde, ging der Knabe aus dem Garten hinaus und irrte unschlüssig am Strand entlang. Plötzlich hörte er in einem Busch ein ängstliches Piepsen und Flattern, und als er näher ging, sah er zwei schöne Vögel mit Goldkronen auf den Köpfchen, die erschrocken hin und her flatterten. Auf dem Boden lag ihr Nest, das wahrscheinlich von einem Zweig heruntergefallen war, und in dem Nest lagen vier kleine, nackte Vögelchen. Aber lautlos kam eine Katze geschlichen. Der Knabe hob das Nest schnell auf, kletterte hoch in einen Baum hinauf und legte es vorsichtig auf eine sichere Stelle nieder, wo es gut und geschützt lag. Die kleinen Vögel waren sehr froh und dankbar. „Wenn wir dir einmal irgendwie behilflich sein können", sagten sie, „dann rufe uns nur. Hier hast du zwei Federn. Wenn du in Not bist, sollst du sie in deine flache Hand legen und sie in die Luft blasen. Dann fliegen sie fort und holen uns, und in einem Augenblick sind wir bei dir."

Der Knabe dankte ihnen und steckte die Federn in seine Tasche. „Einen großen Dienst könntet ihr mir erweisen", sagte er, „wenn ihr die beiden Schlangen fortlocken wolltet, die den Adlerhorst und den Apfelbaum hier im Garten bewachen."

„Wie sollen wir das machen?" fragten die Vögel. Da ratschlagten sie alle drei lange hin und her, und zuletzt hatten sie einen Plan fertig.

Am Abend, als das Abendrot fortgeflogen und der Adler noch nicht zurückgekehrt war, flogen die Vögel in den Garten und setzten sich auf den Boden dicht vor die beiden Schlangen. „Wie schön sind wir doch", sangen sie, „unsere Kronen sind aus Gold, unsere Federn sind seidenweich und bunt. Unansehnlich und häßlich seid ihr Schlangen im Vergleich mit uns."

Der Gesang ärgerte die beiden Schlangen. „Schweigt, ihr dummen kleinen Geschöpfe, sonst werden wir euch eure Kronen wegnehmen", zischten sie.

Aber die ließen sich nicht beirren und sangen weiter: „Die Goldkronen stehen euch nicht. Und ihr könnt sie ja gar nicht holen, denn ihr dürft euren Platz am Baumstamm ja nicht verlassen!"

„Das ist nicht so sicher", zischten die Schlangen und machten einen so plötzlichen Ausfall, daß die Vögel kaum Zeit hatten, sich in Sicherheit zu bringen. Sie zitterten vor Furcht und wären am liebsten fortgeflogen, aber sie bezwangen sich doch und flatterten hin und her, immer dicht vor den Köpfen ihrer Feinde. Die beiden Schlangen, verblendet vor Wut, verfolgten die Vögel immer weiter bis endlich zum Garten hinaus.

Schnell pflückte nun der Knabe einige der Äpfel und stahl das goldene Ei. Er hatte Angst, daß der Adler ihn überraschen würde, ehe er mit seiner Beute in Sicherheit wäre, und er lief, so schnell ihn die Beine tragen konnten, zum Strande hinunter, stieg in das Muschelboot und ließ sich von Wind und Wellen auf das Meer hinaustreiben.

Es dämmerte bald, und die Nacht kam. Aber als der Junge schon weit draußen auf dem Meer war, hörte er hinter sich mächtige Flügelschläge, und er begriff, daß der Adler jetzt auf der Suche nach ihm war. Eilig riß er das Segel vom Mast herab und warf beide ins Meer. Im Dunkeln würde der Vogel wohl nicht die kleine Muschelschale, die auf den Wogen tanzte, erblicken. Er selbst legte sich ganz flach in das Boot und wagte kaum zu atmen. Er hörte den Adler dicht über dem Wasser dahinfliegen, aber die Nacht war dunkel, der Himmel mit Wolken bedeckt, und der Vogel entdeckte ihn nicht. Als es zu tagen begann, mußte er zurückkehren, und der Knabe war gerettet.

Da er nun kein Segel mehr hatte, trieb er lange umher, ein Spielball der Wellen. Sie führten ihn weit fort, und vergebens spähte er nach einem bekannten Strand. Schließlich trieb er an eine fremde Küste. Kahle, ungastliche Felsen sah er, und mitten in der Felswand gähnte ein schwarzes Loch. Dorthinein warfen die Wogen die Muschelschale, und sie blieb darin auf einer Sandbank stecken.

Der Knabe stieg aus und begab sich auf Entdeckungsreisen in den Berg hinein. Dort drinnen war es fast ganz dunkel, nur durch die Öffnung nach dem Meere zu fiel etwas Licht herein.

„Vielleicht wohnen hier böse Riesen oder andere boshafte Geschöpfe", dachte er, „am besten verstecke ich mich gleich." Er kroch ganz weit in die Höhle hinein und kauerte hinter einem Vorsprung der Bergwand. Da sauste und brauste es plötzlich über ihm in der Luft, und ein eiskalter Wind blies vom Meer herein. Da gewahrte der Knabe gegen die lichte Öffnung die Umrisse einer männlichen Gestalt mit großen Schwingen an den Schultern. Und wieder sauste es in der Luft, und zwei weitere männliche Gestalten kamen herbeigeflogen. „Wo ist unser Brüderchen, der Südwind?" fragten sie einander. „Hier bin ich", antwortete eine helle, freundliche Stimme. Ein milder, balsamischer Hauch strömte in die Höhle hinein, und eine zarte Knabengestalt trat zu den anderen auf die Sandbank.

„Ich bin weit fort im Süden gewesen, wo die Rosen duften und die Nachtigallen schlagen", sagte er. „Jetzt bin ich müde und möchte schlafen."

„Ich habe auch eine lange Tagereise hinter mir", sagte der Nordwind mit harter rauher Stimme, und dabei hauchte er eine so eiskalte Luft aus, daß der Junge vor Kälte zitterte. „Weit oben im Norden bin ich gewesen, wo der Frost die schönsten, weißen Blumen über den Boden streut und wo die blassen Sonnenstrahlen sich in Millionen schimmernder Eiskristalle widerspiegeln."

„Ich war weit fort im Osten, wo die Sonne aufgeht", sagte der Ostwind, „und die kleine Sonnenprinzessin nickte und winkte mir zu."

„Und ich war in dem Garten des Abendrots", sagte der Westwind, „dort war große Aufregung, denn jemand hatte das goldene Ei aus dem Adlerhorst gestohlen."

Alle Winde legten sich jetzt zur Ruhe, und bald schliefen sie ein. Da zog der Junge die beiden Federn hervor und blies sie in die Luft. Gleich kamen die kleinen Vögel geflogen. „Was wünschst du von uns?" fragten sie.

„Könnt ihr mich zum alten Mütterchen führen, das auf einem Stein am Strande dieses Meeres sitzt?" fragte der Junge zurück.

„Wir sind zu klein und zu schwach, um deine Muschel dorthin zu ziehen", sagten sie, „aber wir wollen den Südwind wecken und ihn bitten, daß er dir hilft." Sie setzten sich neben den Südwind und sangen so lieblich und schön, daß er im Schlaf lächelte. Da sangen sie noch inbrünstiger, bis er endlich erwachte und die Augen aufschlug.

„Woher kommt ihr, schöne Vögelchen?" fragte er. Da erzählten sie von dem Knaben, der sich in der Höhle der vier Winde versteckt hielt, und baten den Südwind, das Fahrzeug des Jungen an den rechten Strand zu führen. Da erhob sich der Südwind, gebot dem Knaben, in die Muschelschale zu steigen, und blies sie in schwindelnder Fahrt über das Meer der Stelle zu, wo die Alte saß und auf ihn wartete.

Als er ihr die Äpfel gab, dankte sie ihm und sagte: „Jeden Abend ist ein großer, schwarzer Vogel hier gewesen und hat nach dir gefragt. In der Dämmerung kommt er gewiß wieder. Setze dich solange hier neben mich und erzähle mir von deinen Abenteuern. Mit zitternden Händen führte die Alte einen der wunderbaren Äpfel an ihre Lippen. Als sie ein Stück davon abgebissen hatte, wurde ihre runzelige Haut wieder weich und geschmeidig; sie richtete sich auf, und ihre Augen wurden klar. Und als sie den ganzen Apfel gegessen hatte, war nichts mehr von einem alten Mütterchen zu sehen, sondern ein junges, schönes Mädchen saß an ihrer Stelle neben dem Knaben.

Als es dämmerte, kam der Wächter der Nacht, um nachzusehen, ob der

Junge noch nicht zurückgekommen wäre. Er durfte auf dem Rücken des Vogels bis an den Fuß des hohen Berges fliegen. Von dort aus hatte er es nicht mehr weit nach Hause. Er dankte dem Vogel für die Hilfe, gab ihm das goldene Ei und eilte den wohlbekannten Pfad nach dem Häuschen seiner Mutter. — Er fand sie so, wie er sie verlassen hatte, abgezehrt und matt. Aber als er die Blume des Abendrots auf ihren kranken Rücken legte, verschwanden alle Schmerzen, und sie konnte aufstehen und sich wieder bewegen. Und als der Knabe die kleine wunderbare Pflanze hervorholte, die er am Strande des großen Meeres gepflückt hatte, und als die Mutter deren Duft einatmete, verschwand auch jedes Gefühl von Müdigkeit und Hunger.

Nun lebten sie beide zusammen glücklich und gesund in dem ärmlichen Häuschen.

Das Märchen von dem singenden Baum

Es waren einmal ein König und eine Königin, die wohnten mit ihrem einzigen Töchterlein in einem prächtigen Schloß. Die kleine Prinzessin war so lieb und gut, daß alle, die sie sahen, sie gern haben mußten. In dem Königreich herrschten Wohlstand und Frieden, und im königlichen Schloß kannte man weder Sorgen noch Leid, denn alle waren froh und glücklich, und ein Tag war schöner als der andere.

In der Nähe des Schlosses aber wohnte eine böse Hexe. Sie konnte es nicht ertragen, so viel Glück mit anzusehen. Sie wurde ganz neidisch und beschloß, Unglück über die Königsfamilie zu bringen.

Der König und die Königin suchten gerade eine neue Pflegerin für die kleine Prinzessin. Da ging auch die Hexe ins Schloß hinauf und meldete sich als Kindermädchen. Sie setzte eine so ehrbare Miene auf, sie sah so freundlich und sanft aus und zauberte so gute Zeugnisse hervor, daß der

König Vertrauen zu ihr faßte und ihr die Stellung bei der Prinzessin überließ. Die Hexe wußte sich bald bei der Prinzessin so einzuschmeicheln, daß sie ihre neue Pflegerin sehr liebgewann.

Da nahte der Geburtstag der Prinzessin, und eines Tages fragte sie der König, was sie sich wünsche. „Was du auch wünschst, ich will es dir geben", sagte er. Die Prinzessin hatte eigentlich schon alles, was ein kleines Mädchen sich wünschen kann, und sie wußte gar nicht, was sie antworten sollte. „Du kannst es ja bis morgen überlegen", sagte der König.

Die Pflegerin hatte alles gehört, und als sie mit der Prinzessin allein war, sagte sie: „Du sollst dir ein Blatt vom singenden Baum wünschen. Sie sind aus reinem Gold, und wer ein solches Blatt besitzt, wird nie von einem Unglück heimgesucht."

Am nächsten Tag erklärte die Prinzessin ihrem Vater, daß sie ein Blättchen von dem singenden Baum haben möchte.

„Wie bist du auf diesen unglückseligen Gedanken gekommen!" rief der König aus. „Dies ist der einzige Wunsch, den ich dir nicht erfüllen kann, denn der singende Baum wächst auf der anderen Seite des Mondberges, und alle, die versucht haben, diesen Berg zu erklettern, mußten es mit ihrem Leben büßen. Du mußt dir etwas anderes wünschen."

Da wurde die Prinzessin sehr traurig, denn sie hatte sich so sehr auf das seltsame Blatt gefreut. Aber die Pflegerin, die wieder das Gespräch belauscht hatte, nahm sie beiseite und sagte: „Es ist ja gar nicht wahr, daß der singende Baum hinter dem Mondberg wächst, sondern er steht im Wald hinter dem Schloß. Laß uns selber dorthin gehen, um das Blatt zu holen."

Es war aber der Prinzessin strengstens verboten, ohne Erlaubnis aus dem Schloßpark zu gehen. Aber die Hexe wußte wohl, sie konnte erst Gewalt über die Prinzessin bekommen, wenn sie sich zum Ungehorsam gegen die Eltern verleiten ließ. Deshalb ließ sie der Prinzessin keine Ruhe, bis es ihr endlich gelungen war, sie zu überreden, in der Dämmerung heimlich in den Wald hinauszuschleichen.

Sie kamen auch unbemerkt aus dem Park hinaus und wanderten bis spät in die Nacht hinein. Es war dunkel und unheimlich im Wald; die Bäume und Büsche nahmen fremde, gespenstische Gestalten an, und der Prinzessin kam es vor, als ob etwas in den Sträuchern ringsherum huschte und tuschelte. Das Herz schlug ihr bis zum Halse hinauf, und sie warf hastige, scheue Blicke nach allen Seiten. Oft stolperte sie über Steine und Baumwurzeln. Sie wurde so müde und fing an, sich nach ihrem weichen Bettchen zu sehnen.

„Sind wir nicht bald da?" fragte sie.

„Lauf du nur weiter", entgegnete die Hexe unfreundlich. Sie gingen noch eine Weile, aber bald fing die kleine Prinzessin an zu weinen. „Meine Füße tun so weh", klagte sie, „ich mache mir nichts aus dem singenden Blatt mehr, laß uns nach Hause zurückkehren."

Da nahm die Hexe wieder ihre richtige Gestalt an, und die Prinzessin schrie vor Entsetzen laut auf, als sie eine häßliche, alte Frau vor sich sah.

„Vater, Mutter", rief sie und wollte davonlaufen. Aber die Hexe packte sie am Handgelenk und zog sie mit sich weiter.

„Jetzt ist es zu spät, umzukehren", sagte sie höhnisch. Die Prinzessin konnte der Hexe nicht schnell genug gehen, und da schlug sie sie hart mit ihrem Stab über den Rücken. Jeder Schlag hinterließ auf der feinen Haut der kleinen Prinzessin einen roten, brennenden Streifen.

Im Morgengrauen kamen sie an das Meer. Am Strande lag ein Boot. Die Hexe zwang die Prinzessin hineinzusteigen und stieß das Boot vom

Lande ab. Weit draußen im Meer lag eine kleine, einsame Insel. Dort setzte sie die Prinzessin ans Land. „Hier kannst du bleiben; hier findet dich kein lebendes Wesen, und du wirst bald verhungert sein", sagte sie boshaft und ließ die Prinzessin allein auf der einsamen Insel.

Als das Boot der Hexe am Horizont verschwunden war, besichtigte die Prinzessin die Insel. Sie war sehr klein. Auf dem kahlen Felsgrund wuchs nur etwas mageres Gras, und einige sturmzerzauste Bäume verdrehten ihre Zweige wie im Krampf. Ein paar Seevögel saßen am Strand, einige schwammen auf den Wellen, sonst war kein Lebewesen zu sehen. Die Prinzessin setzte sich nieder und weinte bitterlich.

„Ach, wenn ich doch nicht ohne Erlaubnis vom Schloß fortgeschlichen wäre", dachte sie, „jetzt muß ich gewiß sterben, und meine Eltern werden keinen frohen Tag mehr haben, seitdem ich verschwunden bin."

Es plätscherte leise im Wasser, und als die Prinzessin aufsah, erblickte sie eine kleine Meernixe, die aus den Wellen auftauchte.

„Wer bist du denn?" fragte sie neugierig.

„Ich bin eine Prinzessin."

„Was für eine schöne Krone du hast", sagte die Meernixe, „willst du sie mir nicht schenken?"

„Gern", antwortete die Prinzessin, „du kannst auch mein goldenes Armband und mein schönes goldenes Herz mit der Kette haben, denn ich muß ja doch bald sterben."

„Warum mußt du denn sterben?" fragte die kleine Meernixe erstaunt.

„Eine böse Hexe hat mich hierher auf diese kleine Insel geführt, damit ich hier verhungern soll", sagte die Prinzessin.

„Hier braucht niemand zu hungern", lachte die Meernixe, „denn unten auf dem Meeresboden weiden die fetten Kühe des Meerkönigs. Jeden

Abend, wenn ich sie gemolken habe, werde ich dir ein bißchen von der herrlichsten Milch bringen, die du je geschmeckt hast. Jetzt darfst du nicht mehr so traurig aussehen, sondern laß uns zusammen spielen."

Die Meernixe sprang aus dem Wasser, strich ein paarmal mit der Hand über ihren häßlichen, schuppigen Fischschwanz und murmelte dabei ein paar undeutliche Worte. Da wurde der Fischschwanz in zwei wohlgeformte Beine verwandelt, und sie konnten sich unbehindert auf dem Land bewegen und herumlaufen. Lange spielten die beiden zusammen. Gegen nachmittag mußte die Nixe wieder nach dem Meeresgrund zurückkehren. Als sie in das Wasser sprang, verwandelten sich ihre Beine wieder in einen Fischschwanz, und sie tauchte in die Tiefe hinunter.

Am Abend brachte sie der Prinzessin die versprochene Milch in einem großen Silberbecher. Die Milch schmeckte ihr herrlich, sättigte sie vollkommen und löschte allen Durst. „Wenn du jemals meine Hilfe brauchst", sagte die Seejungfrau, „so brauchst du nur den Becher ins Meer zu werfen und mich zu rufen. Ich will dann gleich kommen."

Die Prinzessin legte sich ins Gras und versuchte einzuschlafen. Aber sie fror in ihrem dünnen Kleid, und bald begann es auch zu regnen, so daß sie ganz naß wurde. Da stand sie auf, warf den Becher ins Meer und rief nach ihrer kleinen Freundin.

„Was willst du?" fragte sie und hob Kopf und Schultern aus dem Wasser. Als die Prinzessin ihre Not geklagt hatte, tauchte sie wieder unter, kam aber bald mit einer dicken, samtweichen, seidenglänzenden Moosdecke wieder herauf.

„Morgen mußt du das Moos in der Sonne trocknen lassen", sagte sie, „dann wirst du die schönste Decke haben. Hier hast du einstweilen einen Schleier, den kein Sturzregen durchdringen kann. Spanne ihn zwischen zwei Bäume auf, damit du ein Dach über dem Kopf hast. Unten in einer Kluft liegt eine trockene Robbenhaut, damit kannst du dich heute nacht bedecken."

Die Prinzessin dankte ihr herzlich, und die Nixe verschwand wieder in der Tiefe. Aber jeden Tag kam sie aufs neue auf die Insel, und die beiden spielten miteinander oder erzählten sich wunderbare Geschichten, die eine von dem Leben unten auf dem Meeresgrund, die Prinzessin aber von den Menschen und ihren Sitten.

So lebte die Prinzessin lange auf der Insel, und sie wurde jeden Tag schöner. Das aber kam daher, weil sie Milch der Meereskühe trank, die eine wunderbare Kraft besaß. —

Der König und die Königin waren unterdes in großer Unruhe. Sie schickten ihre Diener nach allen Richtungen aus, um nach der Prinzessin zu suchen. Aber als alle unverrichteterdinge zurückgekehrt waren, betrauerten sie ihr Kind wie eine Tote. Der ganze Hofstaat legte Trauer an, und man hörte nichts als Schluchzen und Klagen vom Morgen bis zum Abend.

Als die kleine Prinzessin ein paar Jahre draußen auf der Insel gewesen war, geschah es eines Tages, daß eine kleine, weiße Taube über das Meer geflattert kam. Sie blutete aus vielen Wunden und konnte nur mit großer Mühe weiterfliegen. Dicht hinter ihr folgte ein großer Adler. Die Prinzessin wartete in atemloser Spannung den Verlauf dieser Jagd ab. Würde die Taube bis zur Insel gelangen, ehe der Adler seine Klauen in ihren Rücken geschlagen hatte? Gerade als die Taube den Strand erreichte, sank sie erschöpft zu Boden, und der Adler wollte sich auf sie stürzen. Aber die Prinzessin ergriff einen dicken Zweig, eilte zu dem Vogel und ließ den Zweig ein um das andere Mal über Kopf, Rücken und Schwingen des Raubvogels sausen. Der Adler schrie vor Wut und versuchte ihr die Augen auszuhacken, aber sie bog sich schnell zur Seite und fühlte, wie sein spitzer Schnabel sich in ihre Wange bohrte. Sie biß die Zähne zusammen, um vor Schmerz nicht laut aufzuschreien. Der Vogel, wild vor Zorn, kreiste um ihren Kopf, aber sie hieb aus Leibeskräften auf ihn los, und schließlich ergriff er die Flucht und segelte durch die Lüfte fort.

Die Prinzessin beugte sich zu der kleinen, keuchenden Taube, hob sie auf, wusch ihre Wunden und gab ihr etwas Regenwasser zu trinken. Das Vögelchen setzte sich auf ihren Schoß und schaute mit dankbaren Augen zu ihr auf. „Ich komme aus dem herrlichen Land hinter dem Mondberg", erzählte es, „dort habe ich mein Nest in den Zweigen des singenden Baumes. Eines Tages flog ich hoch in den sonnenhellen Raum hinauf, bis über den Gipfel des Berges, und da sah ich das Meer wie ein blaues Band am Horizonte glänzen. Es lockte mich, näher zu fliegen. Da kam plötzlich ein großer Adler hinter mir hergeflogen und stürzte sich auf mich. Er schlug seine Klauen in meinen Körper, aber es gelang mir, mich ihm zu entwinden, und ich flog, so schnell ich nur konnte, auf das Meer hinaus. Der Adler aber verfolgte mich, und wenn du mich nicht gerettet hättest, wäre ich verloren gewesen."

„Du weißes Täubchen", sagte die Prinzessin froh, „könntest du mir nicht ein Blatt vom singenden Baum bringen?"

„Gern", antwortete der Vogel, „aber laß mich zuerst einen Tag und eine Nacht bei dir ausruhen."

Am nächsten Morgen flog die Taube fort, und als es zu dämmern begann, war sie schon wieder zurück und hielt im Schnabel ein goldenes Blatt. Es leuchtete von weitem her wie ein funkelnder Sonnenstrahl, und ein schwacher, klingender Ton ging von ihm aus. Die Prinzessin freute sich sehr über das schöne Blatt.

„Ich habe aber noch eine Bitte an dich", sagte sie. „Hier gebe ich dir einen Fetzen von meinem Kleid und ein Büschel von meinen goldenen Haaren. Fliege damit zum Schloß meines Vaters, fliege in den großen Saal hinein, wo er auf seinem Thron sitzt, und lege sie ihm auf den Schoß. Dann weiß er, daß ich noch am Leben bin und dich zu ihm geschickt habe. Und zeige ihm dann den Weg hierher nach meiner Insel." —

Der König und die Königin saßen eines Tages auf ihrem Thron, und der ganze Hofstaat war um sie versammelt. Wie gewöhnlich waren alle traurig, und niemand wagte laut zu sprechen oder zu lachen. Die Fenster standen auf, und draußen im Park sangen die Vögel, aber die Gesichter des Königs und der Königin blieben traurig und finster. Da kam ein weißes Täubchen plötzlich in den Saal geflogen und legte einen dünnen, weißen Stoffetzen und ein goldenes Haarbüschel auf des Königs Schoß.

„Es ist unseres Kindchens Haar und ein Stück seines Kleides", riefen der König und die Königin wie aus einem Munde. Die Taube zerrte mit dem Schnabel an dem herabhängenden Arm des Königs, schlug mit den Flügeln und flog zum Fenster zurück. Dort wandte sie das Köpfchen und sah den König mit einem Blick an, der zu sagen schien: „Komm mit, komm mit."

„Sie will uns den Weg zur Prinzessin zeigen", sagte er, „wir wollen ihr alle folgen." Der König, die Königin und der ganze Hofstaat folgten nun der kleinen Taube an das Meer. Dann flog sie über das Wasser zur Insel, aber die anderen mußten am Strande bleiben, denn es war kein Schiff vorhanden. Einige der Kammerherren mußten umkehren, um ein kleines Ruderboot zu holen. Als sie endlich damit zurückkehrten, stellte es sich heraus, daß keiner von ihnen je ein Ruder in die Hand genommen hatte. Sie wollten wieder umkehren, um einige Ruderer zu holen, aber der König hatte keine Geduld, noch länger zu warten.

„Dann werde ich selber rudern", sagte er, „es wird wohl keine so große Kunst sein."

Er stieg in das kleine Boot und paddelte langsam über das Meer fort. Wie freute er sich, als er die kleine Prinzessin gesund und munter und noch schöner als je zuvor fand. Das ganze Volk nahm an dem Glück der Königsfamilie teil, und vom Schloß her tönten frohe Stimmen und fröhliches Lachen wie in alten Zeiten. Aber das Glück sollte nicht lange dauern.

Als die Hexe die Prinzessin auf der Insel ausgesetzt hatte, war sie weit fort nach einem fernen Land gewandert und hatte sich dort niedergelassen. Da kam sie eines Tages auf den Gedanken, daß sie doch einmal nachschauen müßte, ob die kleine Prinzessin wirklich verhungert sei, und begab sich nach der Insel. Aber dort war keine Prinzessin zu finden. Da schlich sich die Hexe zum Schloß des Königs, und dort sah sie die Prinzessin leibhaftig, fröhlich und lustig im Park herumspazieren. In der Hand hielt sie das goldene Blatt, und das sang und spielte so lieblich. Da wurde die Hexe grün vor Zorn und Neid, und sie grübelte darüber nach, wie sie der Prinzessin das Blatt rauben und sie selbst ins Verderben stürzen könnte.

In der Nacht, als die Prinzessin schlief, verwandelte sie sich in einen kleinen Vogel, flog durch das offene Fenster ihres Schlafzimmers hinein und vertauschte das goldene Blatt gegen ein anderes, das sie selbst gefertigt hatte. Dann flog sie wieder fort.

Als die Prinzessin erwachte, wunderte sie sich darüber, daß es so still im Zimmer war.

„Warum singst du heute nicht, mein liebes Blättchen?" fragte sie und nahm das goldene Blatt in die Hand, das auf dem Tisch neben ihrem Bett lag. Aber kaum hatte sie es berührt, als sie einen brennenden Schmerz im ganzen Körper verspürte, und bald waren ihr Gesicht, ihre Hände, ja ihr ganzer Körper mit Geschwüren bedeckt. Die schöne Prinzessin war in einem Augenblick ganz entstellt. Ihre Kammerzofe kam kurz darauf herein, um nach ihr zu sehen, aber sie wich entsetzt zurück, als sie die arme Prinzessin erblickte, und floh jammernd aus dem Zimmer.

Bald verbreitete sich das Gerücht, daß die Prinzessin von einer entsetzlichen Krankheit befallen sei, wie ein Lauffeuer durch das ganze Schloß. Die Herzen des Königs und der Königin wurden von Verzweiflung und Grauen erfüllt, als sie ihr Kind in diesem Zustand sahen. Aber die Prinzessin selbst war ruhig und mutig.

„Ich glaube bestimmt, daß die Hexe mir dies angetan hat", sagte sie, „aber ich will nicht verzagen. Ich will in die weite Welt hinauswandern, um mein verlorenes Blatt zu suchen. Es gibt so viele freundliche Wesen, die einem helfen, wenn man in Not ist. Ich habe es ja an mir selbst erfahren. Und wenn ich das Blatt wiedergefunden habe, werde ich sicherlich wieder gesund und komme dann zu euch zurück."

Aufs Geratewohl wanderte sie fort, um die Hexe zu suchen. Sie hatte ihr schönes Prinzessinnenkleid abgelegt und war wie ein gewöhnliches Bauernmädchen angezogen. Überall, wohin sie kam, fragte sie, ob jemand wisse, wo die böse Hexe wohne, aber niemand konnte ihr Auskunft geben. „Suche doch die alte, kluge Frau auf, die in dem großen Wald an dem schwarzen Wasser wohnt", riet ihr eines Tages jemand. „Sie kann dir gewiß einen guten Rat geben." Und man zeigte ihr den Weg dorthin.

Am Waldrand fand die Prinzessin ein niedriges Hüttchen, das an einem reißenden Fluß lag, dessen schwarzes Wasser gewaltig rauschte. Sie mußte sich tief bücken, um durch die niedrige Tür hineinzukommen, und sie mußte aus Leibeskräften schreien, um sich beim Brausen des Wildbaches verständlich zu machen. „Ich will dir gern sagen, was du zu tun hast", sagte die kluge, alte Fau, „aber zuerst mußt du mir ein ganzes Jahr dienen."

Die Prinzessin hatte es gut bei der Alten, aber sie mußte fleißig arbeiten. Ihre feinen Prinzessinnenhändchen waren nicht daran gewöhnt, sie sprangen auf und wurden rot und hart. Oft schmerzten ihre Glieder vor Müdigkeit, aber sie war immer willig und froh und versuchte ihr Bestes zu tun.

Als das Jahr um war, sagte die alte Frau: „Ich bin mit dir zufrieden. Folge jetzt genau meinen Vorschriften, was du zu tun hast, um dein Blatt wiederzufinden und die Hexe unschädlich zu machen. Du mußt jetzt selbst zum singenden Baum gehen. Hier hast du ein weißes Mäuschen, es soll dir den Weg dorthin zeigen. Wenn du zum Mondberg kommst, mußt du es gut in deinem Kleide verstecken, ehe du anfängst, den steilen Abhang hinaufzuklettern. Die bösen Geister, die auf dem Mondberg hausen, werden dich überfallen, aber zeige ihnen dann diesen kleinen Spiegel. Dann können sie dir nichts Böses tun. Und was auch geschehen mag, drehe dich nicht um, sondern sieh immer gerade vor dich hin. Wenn du in das Tal auf der anderen Seite hinunterkommst, sollst du die Maus herauslassen und den Spiegel auf den Boden werfen, so daß er in tausend

Scherben zerbricht. Stecke der Maus eines davon in das Mäulchen und laß sie davonlaufen. Du selbst sollst zum singenden Baum gehen und sollst dich mit diesen Worten dreimal tief gegen die Erde verneigen:

‚Ist mein verlorenes Blatt wohl hier?
Schöner Baum, ach, antworte mir.'

Dann kommt dein Blatt durch die Luft geflogen und fällt in eine klare Quelle nieder, die unter den Baumwurzeln hervorquillt. Du mußt in das Wasser steigen und dein Blatt herausholen, und wenn du dein Antlitz in das reine Quellwasser tauchst, werden alle deine Geschwüre verschwinden."

Die Prinzessin begriff, daß die Alte eine mächtige Fee sein mußte, da sie alles so genau angeben konnte, und sie dankte ihr von ganzem Herzen.

Die kleine, weiße Maus huschte jetzt vor der Prinzessin her und zeigte ihr den Weg über Berg und Tal. Nachts schlief die Prinzessin auf der Erde, und sie ernährte sich von Beeren und Wasser und der Speise, die ihr barmherzige Menschen gaben. So kam sie nach einer langen Wanderung an den Mondberg. Der war sehr hoch und unzugänglich. Die Wände waren dicht mit dunklem Tannenwald bewachsen. Hoch oben auf dem Gipfel aber lag der Steingrund bloß, und er schimmerte blendend weiß und durchsichtig. Die Prinzessin dachte an die Worte der Alten, verbarg die Maus sorgfältig in ihrem Kleid und zog dann den Spiegel hervor. Sie begann, den Berg emporzuklettern. Gegen Abend war sie schon auf halber Höhe angelangt. Sie war eifrig geklettert und war müde, aber sie wagte nicht, sich hinzusetzen, um auszuruhen, sondern klomm immer weiter.

Nach einer Weile fing es an zu dunkeln, und bald kam die Nacht. Unter den Bäumen war es ganz finster. Sie strauchelte immer wieder über Wurzeln und Steine, herabhängende Zweige schlugen ihr ins Gesicht, und ihre Kleider blieben an den Sträuchern hängen. Der Nachtwind heulte und klagte schauerlich in den Baumwipfeln, und es war ihr ganz gruselig zumute. Da hörte sie plötzlich von allen Seiten schreckliches Geheul, und ein großer Wolf stürzte aus dem Walde auf sie zu. Auf seinem Rücken saß ein Gespenst mit einem boshaften, verzerrten Gesicht. Beide erstrahlten in einem blaugrünen Licht, und ihre Augen funkelten wie glühende Kohlen. Die Prinzessin hielt schnell den Spiegel hoch, und da flog der Wolf mit einem gewaltigen Knall in die Luft, und der böse Geist schrumpfte zusammen und verschwand wie ein bläulicher Rauch zwischen den Baumstämmen. Hinter sich hörte die Prinzessin aber ein Trampeln wie von kleinen Kinderfüßen. Sie dachte an die Worte der Alten und schaute sich nicht um, aber ihr Herz hämmerte vor Angst, als ob es zerspringen wollte. Immer wieder versuchten die bösen Geister, an sie heranzukommen. Sie nahmen die scheußlichsten Gestalten an, aber die Prinzessin hielt den Spiegel schützend vor sich, und dann verschwanden sie alle, indem sie nur einen schwachen Rauchstreifen hinterließen. Ständig aber nahm das Getrampel hinter ihr zu, und sie hörte ein Rasseln, als ob schwere Ketten über den Boden geschleift würden.

Als sie auf dem Gipfel des Berges angekommen war, ward es heller Tag. Auf der anderen Seite lag ein wunderschönes Tal. Dort stand der goldene Baum im Sonnenschein, und der Wind spielte mit den klingenden Goldblättern. Im Wipfel des Baumes sah sie ein weißes Pünktchen und wußte, daß dies die Taube sein müßte. Als sie unten im Tal angelangt war, warf sie den Spiegel von sich, so daß er in tausend Scherben zersprang. Sie nahm das Mäuschen hervor und steckte ihm eine der Scherben in sein hellrotes Mäulchen. Das Tierchen guckte sie mit seinen klugen Pfefferkornaugen an und huschte schnell davon. Jetzt endlich wagte die Prinzessin, sich umzudrehen, um nachzusehen, woher eigentlich dieses seltsame Trampeln und Gerassel kam. Wie erstaunte sie da, als sie eine ganze Schar von bleichen Prinzen und Prinzessinnen hinter sich sah. Sie sahen ganz verhungert und verweint aus und schleppten alle schwere Ketten hinter sich her.

„Wir haben alle lange hier auf dem Berge in Gefangenschaft gelebt, von den bösen Geistern, die hier hausten, gequält und gepeinigt", sagten sie. „Jetzt hast du die bösen Geister vertrieben. Willst du uns nicht auch von unseren Fesseln befreien?"

Die Prinzessin versuchte, die schweren Eisenringe, die die Kinder um ihre Handgelenke trugen, zu entfernen, aber sie mühte sich vergebens. Da erblickte sie die Spiegelscherben, die ringsherum verstreut lagen. „Wenn der Spiegel die Zauberkraft besaß, Gespenster zu vertreiben", dachte sie, „dann kann er vielleicht auch jetzt von Nutzen sein." Sie nahm einen der Splitter und berührte damit die Ketten der Kinder. Da fielen sie klirrend zu Boden. Die Kinder umringten jubelnd die Prinzessin und dankten ihr von Herzen. Sie versprachen, sie bald in ihrem Reich zu besuchen. „Eilt jetzt nach Hause", sagte die Prinzessin und umarmte ihre neuen Freunde zum Abschied.

Sie tat nun alles so, wie die Alte vorgeschrieben hatte, und als sie ihr Blatt aus der wundertätigen Quelle geholt hatte, setzte sie sich unter den Baum, um etwas auszuruhen. Die Taube flog herab und setzte sich ihr auf die Schulter, und über ihrem Haupte sangen und klangen alle die kleinen Goldblätter. Da flogen ihre Gedanken nach Hause zum König und zur Königin, und sie erhob sich und trat den Heimweg wieder an.

ARTELIUS

Auf dem Wege begegnete ihr das weiße Mäuschen. Es bewegte fröhlich sein Schwänzchen und rief mit seinem piepsenden Stimmchen: „Die Hexe ist tot! Ich habe sie mitten ins Herz mit einer Scherbe des Zauberspiegels gestochen, als sie schlief. Lebe wohl, Prinzessin!" Mit diesen Worten war es verschwunden.

Als die Prinzessin blühend schön nach Hause kam, war die Freude groß, und noch größer wurde sie, als der König und die Königin erfuhren, daß die böse Hexe gestorben sei. Sie veranstalteten ein glänzendes Fest, zu welchem alle Bewohner des Landes geladen waren. Das Fest dauerte drei Wochen, und man spricht heute noch davon.

Das Märchen von dem kleinen Vogel

Es war einmal ein kleiner Vogel, der hatte ein selten schönes Gefieder. Er hatte eine blaue, seidenweiche Brust, smaragdgrüne Flügel mit schwarzen Zeichnungen und einen roten Kopf. Alle, die ihn sahen, mußten ihn bewundern. Aber trotz seiner Schönheit war er gar nicht glücklich. Was bedeutet ein wunderschönes Federkleid für einen Vogel, der nicht singen kann! Ein Vogel ohne Singstimme ist wie ein König ohne Königreich. Wie oft hatte der kleine Vogel es nicht versucht, ein paar Töne aus der Kehle zu zwingen, und wie unglücklich und entsetzt war er nicht jedesmal über das schwache Piepsen, das er hervorbrachte.

Die Vögel sind die Sänger und Dichter der Mutter Natur. An klaren, lichterfüllten Sonnentagen müssen sie der jubelnden Freude alles Lebendigen Stimme verleihen, und in stillen Mondscheinnächten müssen sie allein die Sehnsucht der stummen Geschwister im Wald und Hain in schmelzenden Tönen verkünden. Aber da versagte unser kleiner Vogel völlig. Jeder, der ihn sah, erwartete, daß süße, volle Töne aus seiner seidenschimmernden Kehle quellen würden. Er aber mußte immer schweigen.

Da wurden die anderen Vögel allmählich mißtrauisch gegen ihn. „Es ist nicht alles in Ordnung mit ihm", sagten sie, „entweder ist er hochmütig und unhöflich oder er kann nicht singen. Was soll er mit seinem leuchtenden Aufputz, wenn er keine Singstimme hat."

Der kleine Vogel hörte sie hinter seinem Rücken wispern und sah ihre scheelen Blicke, und er wurde scheu und hielt sich am Tage versteckt. Aber eines Tages fanden ihn die anderen in seinem Versteck unter einem dichten Strauch. Sie setzten sich in einem Kreis um ihn auf die Erde und wippten verächtlich mit den Schwänzen.

„Kannst du singen oder nicht?" fragten sie, und als er nichts antwortete, sah es aus, als ob sie sich auf ihn stürzen wollten, um ihn zu hacken. Dann erst gestand der kleine Vogel leise piepsend, daß er leider keine Singstimme habe.

„Dann bist du es auch nicht wert, ein so schönes Federkleid zu haben, wenn du nicht singen kannst", höhnten die anderen und fielen über ihn her. Sie hackten ihn mit ihren spitzen Schnäbeln und zerrten ihm die schönen, bunten Federn aus. Nur mit Mühe und Not gelang es ihm, sich vor der Wut der Verfolger zu retten und tief in einen dunklen Wald zu flüchten. Wo die Bäume am dichtesten standen, versteckte er sich in ihrem schützenden Laubwerk und verhielt sich ganz still. Aber es half ihm nichts. Eines Tages wurde er doch von einem fremden Vogel entdeckt, und bald hatte er wieder eine ganze Schar von Bewunderern um sich. Die priesen in jubelnden Tönen seine Schönheit, und dann hielten sie plötzlich alle im Gesang inne und sahen ihn erwartungsvoll an. Er wußte, daß er jetzt hätte antworten müssen, aber er konnte es ja nicht. Er sah, wie die fremden Vögel sich wunderten und ihre Köpfe zusammensteckten.

„Jetzt gibt es keine andere Rettung für mich", dachte er verzweifelt, „als weit, weit weg zu fliegen nach kalten, nördlichen Ländern, wo keine anderen Vögel leben." Und er hob schnell die Flügel und flog von dannen. Er flog weit über Wälder und spiegelndes Wasser, über schneeige Berggipfel und große Städte, aber wo er sich auch niederließ, um auszuruhen, überall erging es ihm ebenso. Wie ein Geächteter wurde er immer weiter in die weite Welt hinausgejagt. „Ach, wäre ich doch der häßlichste, unansehnlichste Sperling", dachte er, „vielleicht würde man mich dann in Ruhe lassen.

Schließlich war er weit nach Norden gekommen. Die Tage wurden immer kürzer, und es wurde immer kälter. Viele Tage schon waren ihm keine Vögel mehr begegnet, und er glaubte sich endlich in Sicherheit. So kam er eines Tages zu einer einsamen, sturmgepeitschten Föhre draußen auf einer weiten Heide und ließ sich in deren Wipfel nieder, um auszuruhen. Er sah sich um und erblickte nirgends ein lebendes Wesen. Stumm, karg und öde dehnte sich die Heide, so weit er blicken konnte. Aber plötzlich gewahrte er unter sich auf einem Zweig einen alten, schwarzen Raben, der wie ein dunkler Schatten bewegungslos auf einem Aste hockte, so altersschwach, daß er sich kaum festzuhalten vermochte. Er war außerdem ganz blind.

„Wer flattert hier neben mir?" krächzte der Rabe.

„Es ist nur ein armer, heimatloser Vogel, der sich einen Augenblick in deinem Baum ausruhen möchte", antwortete der schöne Vogel mit seiner leisen, piepsenden Stimme. Da fragte der Rabe, woher er käme und wohin er fliegen wollte.

„Ich komme vom Süden her, wo zwischen duftenden Blumen Schmetterlinge flattern und wo die Vögel im warmen, goldenen Sonnenschein ihre fröhlichen Lieder singen. Das alles mußte ich verlassen und in diese unfreundliche, öde Gegend fliehen, um mir einen Ruheplatz zu suchen, an dem ich in Frieden leben und sterben kann."

„Bei mir kannst du bleiben", sagte der Rabe, „ich bin schon so alt, daß ich nicht mehr für mich selbst sorgen kann. Ich wäre dir sehr dankbar, wenn du mir behilflich sein würdest, mir Nahrung zu suchen. Ich habe immerhin nicht mehr lange zu leben." Der kleine Vogel blieb gerne bei dem alten Raben. Er fing Insekten und Würmer für ihn und brachte ihm Tautropfen und Regenwasser im Schnabel. Und er fühlte sich nun nicht mehr so einsam und verlassen.

Aber nach einiger Zeit wurde der Rabe so schwach, daß der kleine Vogel ihn immer stützen mußte, damit er nicht herunterfiele und das Genick bräche. „Du bist so freundlich und barmherzig zu mir gewesen", sagte der Rabe, „ich wünsche, ich könnte etwas für dich tun. Kannst du mir nicht erzählen, was dich bedrückt. Vielleicht kann ich dir mit einem guten Rat helfen."

Da erzählte der kleine Vogel von seinem Mißgeschick, von allen Verfolgungen und allem Leid, das er hatte erdulden müssen.

„Kannst du mir nicht eine Singstimme geben?" fragte er

Nein, das konnte der Rabe freilich nicht. Er sann lange nach, und endlich sagte er:

„Ich würde dir raten, wieder nach Süden zu fliegen und dich in die Schule der Amsel zu begeben. Sie kann den Unbegabtesten das Singen beibringen. Sollte sie es nicht können, dann gibt es nur noch einen Ausweg. Vor langen, langen Zeiten, in meiner Jugend, hörte ich von einem Vogel erzählen, der zum Märchenland hinaufflog. Als er daher zurückkam, konnte er so schön singen, daß alle anderen Vögel verstummten, wenn er seine Stimme erhob."

„Wo liegt denn das Märchenland?"

„Genau kann ich es dir nicht sagen", antwortete der Rabe. „Es wird aber erzählt, daß jener Vogel immer höher und höher gegen das Sonnenlicht hinaufflog, bis er hinter den Wolken verschwand. Er selbst wollte nie verraten, wo das Märchenland liegt."

Der Rabe wurde von dem vielen Sprechen noch heiserer, als er sonst schon war; er schwieg jetzt, und sein Kopf sank schwer auf die Brust. Er lebte noch ein paar Tage, aber eines Morgens wurde er plötzlich steif und kalt. Der kleine Vogel pickte mit dem Schnabel ein Loch in die Erde und begrub den alten Raben. Dann folgte er dessen Rat und flog wieder nach Süden.

Er begab sich zu einer Amsel in die Schule, aber wie sich Lehrerin und Schüler auch bemühten, sein Gesang blieb ein schwaches Piepsen.

„Du bist viel zu dumm", sagte sie, und der kleine Vogel wurde wieder ausgelacht. Da war er ganz verzweifelt.

„Ihr werdet sehen, daß ich doch zuletzt noch singen lerne", sagte er. Und an einem schönen Tage stieg er kerzengerade hinauf in die sonnenklare Luft. Eine Weile ruhte er aus auf einer Wolke, die hoch oben segelte; aber lange verweilte er nicht, bald stieg er noch höher. Er spähte eifrig nach dem Märchenland, aber nach allen Seiten sah er nur den sonnigen, lichtschimmernden, leeren Raum. Die Augen schmerzten ihm von all diesem blendenden Licht, und seine Kehle schnürte sich zusammen vor Ermüdung und Anstrengung. Aber er flog doch immer höher und spähte um sich mit Augen, die nichts mehr sahen. Plötzlich war es, als ob etwas in ihm zersprungen wäre, und er fühlte etwas Warmes vom Schnabel über die Brust heruntertröpfeln. Dann fiel er zurück in den endlosen Raum, tief, tief hinunter.

Einige Kinder fanden am nächsten Tag den kleinen, leblosen Körper. Sie hoben ihn auf und bewunderten die seidenweiche, blaue Brust, auf der die Blutstropfen klarrot leuchteten, und sie strichen mit den Fingern über die schönen, grünen Flügel.

„Ach, wenn er doch lebendig wäre und wir ihn singen hören dürften", sagten sie. „Sicher konnte niemand in der Welt so schön singen wie er."

Das Märchen von den Sternblumen

In dem Märchen vom Mondprinzen und der Sonnenprinzessin habe ich dir schon von den kleinen Kinderseelen erzählt, die oben auf einem strahlenden Stern leben. Aber denke nur, die kleinen Sternenkinder möchten auch gerne von dir hören, von deinen Spielen und von all dem bunten Treiben auf unserer Erde.

Eines Tages kamen einige von ihnen auf den Gedanken, ein paar Blümchen als Gruß von dem fernen Stern zu den Menschenkindern hinunterzuwerfen. Sie pflückten große Sträuße von weißen, duftenden Sternenblumen und warfen sie zur Erde hinunter. In einer waldigen Gegend schlugen die Blumen Wurzel und verbreiteten sich schnell. Jetzt kannst du sie in vielen Ländern finden. Sie stehen am liebsten tief drinnen im Waldesdunkel, und wenn die Sonne scheint, senken sie schüchtern ihre Kelche gegen die Erde. Nachts, wenn die Sterne am Himmel leuchten, heben sie ihre gesenkten Köpfe und blicken sehnsüchtig nach ihrer verlorenen Heimat hinauf. Wenn man an einem Sommertag im Wald im grünen Moose liegt und mit geschlossenen Augen ihren süßen, schwachen Duft einatmet, dann träumt man von unbekannten Sternenwelten, und der Wind trägt einem den leisen Klang von kleinen Glöckchen zu, die geheimnisvoll in der Ferne klingen. — —

In einem dunklen Wald lag ein ärmliches Häuschen. Da wohnte eine Witwe mit ihrem einzigen Kind, einem kleinen Mädchen. Die Kleine war krank und wurde täglich müder und matter. Sie lag tagaus, tagein in ihrem Bettchen am Fenster und blickte mit großen, fieberglänzenden Augen in die säuselnden Baumwipfel hinauf. Eines Tages fand die Mutter ein paar Sternblumen im Walde und brachte sie nach Hause zu ihrem Kind. Als sie die Blumen auf die Bettdecke legte, lächelte die Kleine: „Welch schöne, weiße Blümchen", sagte sie leise.

Es wurde Abend, und das kleine Mädchen sollte versuchen einzuschlafen. Aber wie gewöhnlich wollte der Schlaf nicht kommen. Es lag immer ganz still und regungslos, damit die Mutter in Ruhe schlafen könne, aber die Nächte schienen ihm unendlich lang. Jetzt lag es da und spielte mit den Sternblumen. Ein schwaches Mondlicht fiel durchs Fenster herein, und der blasse Schein huschte über die weißen Blümchen. Da schimmerten sie durchsichtig und überirdisch schön. Und plötzlich fingen sie an, mit klaren Stimmchen zu sprechen. Es war, als hätte der Wind mit leisen Fingern kleine Silberglöckchen bewegt. Sie fingen an, von dem fernen Stern zu erzählen und von den kleinen Kinderseelen, die dort oben leben. Das kleine Mädchen hörte mit hellen, träumerischen Augen zu. Dann erzählten die Blumen vom Märchenland, das auf einem anderen Stern liegt und wohin die Sternenkinder oft fahren dürfen.

„Es ist von einer hohen Mauer aus schimmerndem Glas umgeben", erzählten sie, „und das große Tor ist wohl bewacht von einem Engel mit gezücktem Schwert. Wer da hereingelassen wird, muß sein Alltagskleid ablegen und darf ein schönes, goldgesäumtes Gewand anziehen. Auf dem Kopf darf er eine goldene Krone tragen. Wer Kummer im Herzen trägt, der fühlt die Sorgen, die ihn drückten und quälten, einem jubelnden Glücksgefühl weichen. Wer krank und siech hinkommt, fühlt Gesundheit und neue Kräfte den Körper beleben und alle Schmerzen verschwinden. Und wer in Wirklichkeit arm und verlassen ist, wird dort unermeßlich reich. Ihm gehören die wunderbaren Schätze des Märchenlandes. Wer alt und müde ist, wird wieder jung und frisch. Und die kleinen Kinder finden dort wunderbare, lebendige Spielsachen: die Holzpferde können laufen, die Puppen sprechen und sich bewegen, und die kleinen Eisenbahnzüge pfeifen gellend und rasselnd über Stock und Stein. Alles, was du dir wünschst, geht dort in Erfüllung. Und die Bäume, die Blumen und die Steine auf der Erde können dir die wunderbarsten Geschichten erzählen. Feen und Elfen spielen mit den Kindern, und sie dürfen in goldenen Wägelchen, von großen Vögeln gezogen, durch die Lüfte fahren, um andere Sterne zu besuchen."

Viele andere wunderbare Dinge erzählten die Blumen, und das Herz des kleinen Mädchens wurde von einer großen Sehnsucht erfüllt. „Ach, dürfte ich doch zu dem großen Stern kommen, wo die Sternenkinder spielen!" flüsterte es.

„Sei getrost", antworteten die Blumen, „bald, bald darfst du hinkommen."

„Darf ich auch zum Märchenland kommen?"

„Bald wirst du eine Prinzessin im Märchenlande sein", sagten die Blumen mit ihren hellen Stimmen. Das kranke Kind lächelte glücklich und schloß die Augen. „Aber versprich, daß du uns mitnimmst, wenn du hinaufgeholt wirst", baten die Blumen. Das Mädchen nickte, dann lag es lange still und lauschte, halb in Träumen, einem leisen, fernen Klingen von vielen Silberglöckchen. Es wurde immer matter und müder dabei, und zuletzt schlief es ein.

Als ihre Mutter am Morgen erwachte, schlief das Kind mit einem glücklichen Lächeln auf den Lippen. In der Hand hielt es noch die kleinen Sternblumen. „Es ist lange her, daß ich sie so gut schlafen sah", dachte die Mutter mit neuerwachter Hoffnung, „vielleicht wird sie doch noch einmal gesund."

Sie schlich leise aus dem Zimmer, um im Walde etwas Holz zu holen. Als sie zurückkam, lag das Mädchen ebenso still wie vorher, aber es war so unheimlich blaß geworden. Die Mutter ging an das Bettchen heran, und da sah sie, daß die Kleine gestorben war. Erst später entdeckte sie, daß die schönen, weißen Blumen verschwunden waren.

Das Märchen von der Elfe

Es war einmal ein kleines Mädchen, das hieß Maja. Sie wohnte mit ihrer Mutter und ihrem Bruder Anders in einem kleinen Häuschen auf dem Lande. Vor dem Häuschen lag eine Wiese. Dort wuchsen schöne, bunte Blumen. Maja und Anders spielten oft auf der Wiese, sie jagten Schmetterlinge, pflückten Blumen oder lagen auf dem Rücken im weichen Gras und sahen zum blauen Sommerhimmel empor.

Eines Tages, als Maja allein auf der Wiese spielte, erblickte sie plötzlich ein süßes Geschöpf, das sich auf einer großen, blauen Glockenblume wiegte. Das war ein Elfchen. Maja hatte niemals eine Elfe gesehen, aber ihre Mutter hatte ihr von ihnen erzählt. Die Elfe hatte ein grünes Kleid aus feinstem durchsichtigen Stoff an, sie trug eine kleine Krone auf dem Haupt, und um die bloßen Schultern hatte sie einen Schleier aus zartestem

Spinngewebe gelegt. Sie hatte ein wunderniedliches, blasses, schmales Gesichtchen und große, dunkle Augen, aber sie war nicht größer als Majas kleiner Finger. Maja hatte in ihrem Leben noch nie so etwas Reizendes gesehen, und sie schrie laut auf vor Entzücken. Da erschrak die Elfe und breitete ihre feinen Flügel aus, um fortzufliegen.

„Du liebes, kleines Ding, bleib doch noch ein bißchen", bat Maja, „ich wette, du bist die Elfenprinzessin."

Die Elfe fühlte sich geschmeichelt, daß Maja sie für eine der Elfenprinzessinnen hielt, sie ließ die Flügel wieder sinken und setzte sich auf der Glockenblume zurecht.

„Nein", sagte sie, „ich bin nur eine der Kammerzofen der Prinzessinnen. Heute nacht tanzten wir wie gewöhnlich draußen auf der Wiese, aber ich achtete nicht auf die Zeit, und heute morgen, als die andern nach unserem unterirdischen Schloß zurückkehrten, kam ich zu spät. Das Tor war schon verschlossen, und ich konnte nicht mehr hineinkommen."

Da weinte die Elfe bitterlich. „Sie werden mich meiner Nachlässigkeit wegen streng bestrafen; sie werden mir meine Krone wegnehmen, und sieben Elfenschleier werde ich weben müssen, bis sie mir wieder erlauben, mit den anderen auf der Wiese zu tanzen."

„Du Ärmste", sagte Maja, „wenn ich dir doch irgendwie helfen könnte."

„Gewiß könntest du mir helfen", sagte die Elfe, „ du bist doch so groß und kräftig. Drüben unter der Tannenwurzel ist der Eingang zu unserem Reich. Tagsüber ist er von Erde und Moos bedeckt. Aber wenn du ein Stäbchen nimmst und dort ein Loch in die Erde bohrst, kann ich mich vielleicht heimlich durchschleichen."

„Das will ich tun", sagte Maja, „wenn du mir versprichst, daß ich eine Nacht eurem Tanze zusehen darf."

Die Elfe sah nachdenklich drein. „Weißt du nicht, daß die Menschen niemals die Elfen tanzen sehen dürfen? Wenn du dabei ertappt wirst, dann wirst du für immer als Gefangene in der Unterwelt bleiben müssen."

„Ach, ich werde mich schon so gut verstecken, daß mich niemand finden kann", sagte Maja.

„Ich weiß, daß es nicht recht von mir ist, deinen Wunsch zu erfüllen", sagte die Elfe, „aber da du so freundlich bittest, will ich es doch tun. Hier gebe ich dir mein Taschentuch. Wenn du es vor die Augen hältst, kannst du uns Elfen tanzen sehen, wenn andere nur den wogenden Nebel erblicken, und du kannst auch alle anderen Wesen sehen, Trolle und Wichtelmännchen, die sonst dem Menschen unsichtbar sind. Verstecke das Taschentuch und laß die Sonne nie darauf scheinen, denn dann verliert es seine Zauberkraft. Und jetzt, Kind, mußt du dich beeilen, mir behilflich zu sein."

Maja dankte für die Gabe, holte sich ein Stäbchen und bohrte damit unter der Wurzel ein Loch in die Erde.

„Bitte wirf das Loch gut zu, wenn ich verschwunden bin", mahnte die Elfe, als sie sich durch die Öffnung zwängte.

Maja tat so, versteckte das Taschentuch in ihrem Kleid und ging dann nach Hause. Sie erzählte sogar Anders nichts von ihrem Abenteuer, aber sie war den ganzen Tag über so zerstreut und geheimnisvoll, daß ihre Mutter sich fragte, was mit ihr los sei.

Am Abend, als sie im Bett lag, zog sie das Taschentuch hervor und hielt es vor die Augen. Denkt nur, da erblickte sie ein kleines Wichtelmännchen mit grauem Wams und roter Mütze, das in aller Ruhe in einer Ecke des Zimmers saß und an einem großen Butterbrot kaute.

„Aber nein", rief Maja erstaunt, „ich wußte nicht, daß es Wichtelmännchen hier im Hause gibt!"

„Was sagst du da?" fragte Anders, der in seinem Bett neben ihr lag. Und das Wichtelmännchen erschrak so, daß es das Butterbrot fallen ließ und die Kinder mit offenem Munde angaffte.

„Das geht nicht mit rechten Dingen zu", dachte es, „wie kommt es nur, daß dieses Menschenkind mich sehen kann? Aha! Sie hat ein Elfentaschentuch. Warte nur, das werde ich ihr schon wegnehmen, wenn sie eingeschlafen ist."

Aber darauf konnte er lange warten. Maja schlief in dieser Nacht überhaupt nicht ein. Anders schlief schon lange, aber sie lag immer noch mit weit geöffneten Augen und starrte in die Dunkelheit hinein. Als die Mutter auch zur Ruhe gegangen und alles im Hause still war, zog sie sich rasch an und schlich zur Tür hinaus. Es war draußen fast hell, denn alles lag in klarem Mondlicht. Auf der Wiese wogte ein weißer Nebel. Maja hielt das Taschentuch vor die Augen, da zerfloß gleich der Nebel, und da sah sie Hunderte von kleinen Gestalten in hellen Kleidern und mit weißen, flatternden Schleiern. Sie sah sie tanzen und sich jagen, sie sah die Königin mit ihrer Krone aus Smaragden und funkelnden Edelsteinen und sie sah alle Prinzessinen mit Diademen aus Mondsteinen und Saphiren. Sie hatte sich hinter einem dichten Busch versteckt und lag ganz still, glücklich in das Betrachten dieses wunderbaren Schauspiels ganz versunken.

Als die Elfen gegen Tagesanbruch in ihr Reich zurückkehrten, stahl sie sich müde und glücklich ins Bett und schlief sofort ein. Aber in einer Ecke des Zimmers lauerte noch das Wichtelmännchen, und kaum war sie eingeschlafen, da schlich es an ihr Bett und nahm das Taschentuch, das sie noch in der Hand hielt. Statt dessen legte es auf das Kopfkissen ein Stückchen eines feinen, dünnen Stoffes, das genau wie das gestohlene Taschentuch aussah. Als Maja erwachte, bemerkte sie auch gar nicht, daß ihr Geschenk vertauscht war, sondern versteckte das falsche Tuch behutsam.

Im Laufe des Tages konnte sie ihr Geheimnis nicht mehr für sich behalten, sondern erzählte dem Bruder Anders alles. Die beiden Kinder vereinbarten, daß sie diese Nacht zusammen den Elfentanz ansehen wollten. Als sie auf der Lauer hinter dem Hausgiebel lagen und der Nebel über der Wiese wieder hin und her wogte, versuchte Maja zuerst, durch das Tuch zu sehen, aber es war nicht durchsichtig, und sie sah gar nichts.

„Ich glaube, wir müssen ein bißchen näher gehen", sagte sie zu Anders, und sie krochen vorsichtig nach der Wiese hin. Jetzt wollte Anders gerne versuchen, ob er nicht bessere Augen hätte, aber auch er sah gar nichts.

„Puh", sagte er, „dies ist ja nur ein gewöhnlicher Stofflappen, und dort auf der Wiese sehe ich nur Nebel. Du willst mich nur anführen, aber ich werde dir zeigen, daß ich keine Angst habe."

Mit diesen Worten stand er auf und lief gerade in den Nebel hinein. Maja schrie laut auf vor Entsetzen. Sie sah, wie der Nebel um Anders immer dichter wurde, bis er selber ganz darin verschwunden war. Jetzt wallte das Nebelmeer auch auf ihr Versteck zu. Sie fühlte sich von unzähligen unsichtbaren Händchen gepackt, ihre Arme und Beine wurden mit feinen, aber starken Spinnfäden zusammengebunden, sie wurde auf einen kleinen, silbernen Wagen gehoben, von hundert weißen Mäusen gezogen. Und dann ging es im Galopp der Öffnung unter der Tannenwurzel zu. Unheimlich und schwarz gähnte es ihr entgegen, als die Mäuse mit dem Wagen hindurchhuschten. Maja sah einen Augenblick im Vor-

ARTELIUS

ARTELIUS

überfahren einen zweiten Wagen, auf dem Anders gebunden lag. Dann wurde alles finster, und Maja schloß die Augen.

Als sie sie wieder öffnete, sah sie, daß sie in eine große, unterirdische Höhle gelangt war. Tausende von Leuchtwürmern krochen da drinnen umher und erleuchteten die Höhle mit einem matten Schein. Und jetzt sah Maja, daß der Wagen vor einem weißschimmernden Schlosse hielt. Die Wände glänzten durchsichtig und hell, als wären sie aus Mondstrahlen zusammengefügt. Viele kleine schwarze Alfen, die Diener der Elfen, stürzten hervor, ergriffen die beiden Kinder und schleppten sie in ein dunkles Kerkerloch unter dem Schloß. Dort wurden die Spinnfäden, die sie fesselten, entfernt, und die Kinder wurden wie zwei Verbrecher an die Mauer gekettet. Viele Tage und Nächte verbrachten sie jetzt dort unten im Dunkeln, von Hunger und Durst gequält. Zwar brachte eine Elfe ihnen jeden Tag etwas Speise und Trank, aber die Nahrung der Elfen kann kein Menschenkind sättigen. Täglich bekam jedes von ihnen ein Blättchen, mit Wasser gefüllt, und ein paar Tropfen Honig. Sie wurden elend und mager, und ihre Augen waren rot und geschwollen vom vielen Weinen.

Eines Tages mußte die kleine Elfe, die Maja ihr Taschentuch gegeben hatte, den Gefangenen das Essen bringen. Als sie die blassen, verweinten Gesichter der Kinder sah, empfand sie großes Mitleid mit ihnen.

„Ich habe es ja vorausgesagt, daß es nur Unglück über dich bringen würde, wenn ich deinen Wunsch erfüllte", flüsterte sie Maja zu, „aber da du mir einmal geholfen hast, will ich jetzt versuchen, ob ich nicht etwas für dich tun kann. Hier hast du meinen Schleier und einen kleinen Schlüssel. Wenn du mit dem Schlüssel die Ketten berührst, zersplittern sie wie Glas, und er paßt auch zu dem Schloß des Kerkertores. Wenn du oben im Schloß die Silberglocken läuten hörst, dann ist die Zeit gekommen, da die Elfen auf die Wiese zum Tanz hinaufsteigen. Wenn sie alle fort sind, müßt ihr euch leise aus der Höhle schleichen. Heute habe ich die Wache am Eingang unter der Wurzel. Sobald ihr auf der Wiese angelangt seid, mußt du meinen Schleier ausbreiten und im Winde flattern lassen Wenn du dann die Worte sprichst:

,Woge, woge, Elfenschleier,
Mondesstrahlen leuchten klar,
Schütz mich vor der Elfenschar',

so wächst der Schleier und wird so groß, daß du ihn um euch beide hüllen kannst. Dann können die Elfen euch nichts mehr antun. Mich mußt du auch unter den schützenden Schleier verstecken, denn jetzt, wo ich euch zur Flucht verholfen habe, bin ich aus dem Elfenreich verbannt, und wenn sie mich finden, werden sie mich einsperren und verhungern lassen. Aber denke daran, daß du ganz unbeweglich und still unter dem Schleier stehen mußt, bis die Sonne aufgeht."

Die Kinder dankten der Elfe unter Tränen, und sie taten alles so, wie sie es ihnen befohlen hatte. Sie hörten im wallenden Nebel feine, zornige Stimmchen drohen und klagen, aber sie standen die ganze Nacht regungslos und stumm, dicht aneinandergeschmiegt, und der Schleier schützte sie vor dem Zorn der Elfen. Als die Sonne aufging, verschwanden die Elfen, und die Kinder konnten nach Hause gehen. Das Elfchen nahmen sie mit.

Die Mutter der Kinder war überglücklich, als sie sie wieder sah. Auf der Fensterbank stand eine Topfflanze mit großen, dunkelroten Blüten. In einer dieser Blüten bekam die Elfe ihre Wohnung, und jeden Tag brachte man ihr Wasser und Honig. Zuweilen war die Elfe froh und sang mit einer feinen, melodischen Stimme seltsame, wohlklingende Lieder. Aber meist war sie traurig; mit den Händen im Schoß und die Flügel schlaff herunterhängend, starrte sie träumend vor sich hin. Die Kinder wußten dann, daß sie sich nach Hause sehnte. Tagsüber konnten die Kinder die Elfe sehen, aber sobald es dunkel wurde, verwandelte sie sich in eine Nebelgestalt, die wie ein blasser Mondstrahl über der Blume schwebte. Als die Kinder sie nach der Ursache dieser Verwandlung fragten, erzählte sie, daß die Elfen am Tage den Menschen sichtbar seien, und daß es deswegen den Elfen streng verboten sei, sich draußen zu zeigen, solange es hell wäre. Nachts dagegen würden sie unsichtbar, und dann könnten sie unbehelligt aus der Unterwelt emporsteigen.

„Laßt nie nach Sonnenuntergang die Türe auf", sagte sie, „sonst werden mich die Elfen holen."

Die Kinder achteten den ganzen Sommer darauf, daß die Fenster und die Türen bei Einbruch der Dunkelheit zugemacht wurden. Aber eines Herbstabends hörte Maja wunderbar schmelzende Töne leise durch die Stille flüstern. Sie vergaß die Warnung der Elfe und machte neugierig die Tür auf, um zu sehen, wer da draußen so schön spiele. Kaum war die Tür aber offen, da wallte ein kalter Nebel in das Zimmer hinein. Er verschwand ebenso schnell, wie er gekommen war, aber von dem Augenblick an war die Elfe verschwunden.

Maja wurde ganz traurig. Sie schluchzte und weinte herzzerbrechend und sie wollte weder essen noch trinken. Nachts saß sie aufrecht in ihrem kleinen Bett, starrte in die Dunkelheit und dachte ohne Unterlaß an das Elfchen. Das Wichtelmännchen, das im Grunde ein weiches Herz hatte, bereute schon lange seinen Diebstahl und wurde arg von Gewissensbissen und Mitleid geplagt.

„Ich werde versuchen, das Böse, das ich den Kindern und der Elfe angetan habe, wieder gutzumachen", dachte es.

Eines Nachts, als Maja wie gewöhnlich weinend im Bett saß, berührte es ihren Arm. Es hatte seine Zipfelmütze umgedreht. Wenn die Wichtelmännchen dies tun, werden sie den Menschen sichtbar. „Hier hast du dein Taschentuch wieder", sagte es, „ich bin es gewesen, der es dir gestohlen hat. Es war mir nicht recht, daß du mich sehen konntest. Aber jetzt will ich dir behilflich sein, die Elfe zu befreien. Morgen werde ich dich zu einer alten, weisen Eule führen, die in der Eiche hinter dem Haus wohnt. Wir werden sie um Rat fragen. Ganz bestimmt wird sie dir sagen können, was du zu tun hast."

Maja dankte dem Wichtelmännchen, und zum erstenmal, seitdem die Elfe verschwunden war, konnte sie einige Stunden schlafen.

Die alte, kluge Eule schüttelte den Kopf, als sie den Bericht des Wichtelmännchens gehört hatte. „Guter Rat ist teuer", sagte sie, „wenn du willst, daß ich dem Mädchen helfen soll, dann mußt du mir auch versprechen, mich mit Speise und Trank zu versorgen mein Leben lang. Jeden Abend in der Dämmerung mußt du mir Milch und Brot bringen."

Das Wichtelmännchen versprach, diesen Wunsch zu erfüllen. Darauf erzählte die Eule: „Die kleine Elfe schmachtet in demselben Kerkerloch, in dem die Kinder gefangen waren. Die Königin ist sehr erzürnt und will sie verhungern lassen. Aber ich weiß, wie man sie vielleicht besänftigen kann. Vor einigen Wochen, als sie auf der Wiese tanzte, hat sie ihren Lieblingsring verloren. Wenn du ihr diesen Ring zurückbringen könntest, würde sie sich gewiß dankbar zeigen. Alle Elfen mußten die ganze Nacht im Grase suchen, aber er war nirgends zu finden. Am nächsten Tage sahen ihn einige Krähen im Sonnenschein funkeln und trugen ihn zu ihrem

Nest in einem hohlen Baumstamm. Heute nacht, wenn die Krähen schlafen, kann ich ihn holen. Morgen nacht muß das Mädchen sich an den Eingang des Elfenreiches stellen, in ihren Schleier gehüllt. Wenn sie die Königin kommen sieht, soll sie ihr den Ring zeigen. Aber sie darf ihn nicht abgeben, ehe die Königin bei dem geheimen Schatz geschworen hat, das Elfchen freizugeben und es in keiner Weise mehr sein Vergehen büßen zu lassen."

Am nächsten Morgen fand Maja einen wunderschönen Ring auf dem Fensterbrett, und in der folgenden Nacht ließ sie die Elfenkönigin bei dem geheimen Schatz feierlich geloben, die kleine Elfe zu erlösen. Dann erst übergab sie ihr den Ring. Und auf der Königin Bitte gab sie ihr auch das Taschentuch zurück.

Kein kleines Mädchen schlief in dieser Nacht ruhiger und glücklicher als Maja. Den Elfenschleier aber hob sie sich ihr Leben lang als Andenken auf.

Das Märchen von dem Mädchen mit den Edelsteinen

Es war einmal ein kleines Mädchen, das war ganz einsam und verlassen. Seine Eltern waren tot, und es hatte keine Verwandten, die sich seiner hätten annehmen können. Aber es war trotzdem guten Mutes und beschloß, in die weite Welt hinauszugehen, um sein Glück zu versuchen.

„Ich bin ganz bestimmt eine verzauberte Glücksprinzessin", dachte es, „und eines schönen Tages werde ich mein Reich und meine Krone finden."

Es schnürte seine wenigen Habseligkeiten in ein Bündelchen zusammen und schwang es auf den Rücken. Eine schöne, bunte Schärpe, mit Blumen und Blättern bestickt, ein Geschenk seiner Mutter, band es über das grobe, graue Kleid. Das war die einzige Kostbarkeit, die es besaß; denn sein Vater war gestorben, als es noch ein ganz kleines Kind war, und hatte nur Schulden hinterlassen, und die Mutter war im Armenhaus gestorben.

Es war ein strahlend schöner Tag, als das Mädchen in die Welt hinauszog. Der Weg führte durch einen dichten Laubwald. Es war Frühjahr, und die Bäume hatten ihre neuen, zarten Frühlingsgewänder angezogen. Die Sonnenstrahlen fielen durch die Zweige und zeichneten ein leuchtendes Muster auf den Weg, die Blumen guckten morgenfrisch aus dem grünen Gras, die Vögel jubelten, und das Mädchen war so glücklich und froh, daß es auch mitsingen mußte. Es war schon mehrere Stunden gewandert, als es gegen Mittag an einer großen, braunen Kröte vorbeikam. Diese hockte unglücklich am Wegesrand und konnte nicht weiterhüpfen, denn sie hatte ein Bein gebrochen.

„Bitte, trage mich doch über den Weg und setze mich dort in den Schatten unter dem großen Stein nieder", bat sie.

„Gern", sagte das Mädchen.

„Wohin gehst du denn?" fragte die Kröte.

„Ich bin auf der Suche nach meinem Reich", versetzte das Kind, „ich bin ja gar kein armes Mädchen, wie du denkst, nein, ich bin ganz sicher eine verzauberte Prinzessin."

„So, so, und wo willst du es denn suchen, dein Reich?"

Auf diese Frage konnte das Mädchen keine Antwort geben. Da lachte die Kröte laut auf. „Glaubst du, daß Königreiche auf jedem Baum wachsen? Nein, es gibt in dieser Welt nur ein einziges Reich, das noch auf seinen König wartet. Dieses verzauberte Land liegt oben auf dem Gipfel des Glasberges. Eine mächtige Fee hat bestimmt, daß demjenigen, der den Gipfel erglimmen kann, das Reich zufallen soll. Viele, viele haben schon ihr Glück versucht, aber alle mußten sie es mit ihrem Leben büßen. Ich will dir nicht raten, dieses Wagestück zu unternehmen."

„Ganz bestimmt werde ich dabei Glück haben", sagte das Mädchen, „ich habe immer gewußt, daß ich dazu geboren bin, etwas ganz Besonderes zu vollbringen. Wo liegt denn der Glasberg?"

„Siebenmal sieben Tage mußt du gegen Süden wandern. Und jedesmal, wenn du an einem Kreuzweg stehst, mußt du den Weg einschlagen, der am geradesten weiterführt. Der Glasberg ist von großen Sümpfen umgeben, in denen schon viele Menschen umgekommen sind. Dort wohnt meine Base, die auch eine riesengroße Kröte ist. Sie heißt Amok Sama, und wenn du sie beim Namen rufst, wird sie aus dem Sumpf herauskommen. Dann mußt du sie von mir grüßen und sie bitten, dir zu zeigen, wie du am besten über die gefährlichen Stellen gelangen kannst."

Das Mädchen dankte der Kröte und wanderte weiter, viele Tage und viele Wochen. Seine Nahrung bestand hauptsächlich aus Beeren und Wurzeln, aber manchmal bekam es auch etwas Brot in den Bauernhöfen, an denen es vorbeikam. Es schlief in Scheunen und Ställen oder auf der Erde.

Nach einer langen, mühsamen Wanderung kam es endlich zu den großen Sümpfen, von denen die Kröte gesprochen hatte, und die Kröte Amok Sama zeigte ihm einen geheimen Pfad, der an den Fuß des Berges führte. Als das kleine Mädchen dort angelangt war, begann es schon zu dämmern. Es blickte hinauf zu dem Gipfel des Berges, aber da wurde es ganz schwindelig, denn der Berg war so hoch, daß die oberen Spitzen ganz in den Wolken verschwanden. Die kahlen, glatten Wände schimmerten im Mondlicht in unheimlichem Glanz. Ringsherum auf dem Boden erblickte es das Gerippe von Menschen, die bei den Versuchen, die steilen Abhänge emporzuklettern, abgestürzt und umgekommen waren. Das verschlug dem Mädchen ein wenig den Mut, aber es beschloß doch, am nächsten Tag sein Glück zu versuchen. Vorher aber wollte es noch einmal tüchtig ausschlafen. Der Boden war feucht und kalt, ein dichter Nebel stieg aus den Sümpfen ringsumher empor, und das erschrockene, ängstliche Mädchen glaubte, darin die Geister der Toten zu sehen, die es mit großen, leeren Augenhöhlen anstierten.

Am nächsten Morgen funkelte und blitzte der Glasberg so sehr im Sonnenschein, daß das Mädchen nicht hinsehen konnte, ohne geblendet zu sein. Es versuchte ein paarmal vergebens, den Abhang hinaufzuklettern, fand aber dann endlich kleine Stufen, die jemand in das harte Glas eingehauen hatte, und nun gelang es ihm mühevoll, ein kleines Stück vorwärts zu kommen. Aber die Bergwand leuchtete und gleißte, daß es ihm ganz schwindelig wurde. Es konnte nichts mehr sehen — und plötzlich glitt es aus und stürzte den steilen Hang hinunter. Unten blieb es regungslos liegen. Es hatte sich beim Fallen so schwer den Rücken verletzt, daß es sich nicht mehr erheben konnte. Den ganzen Tag lag es bewegunglos da. Dann kam die Nacht, und weiße Nebel stiegen wieder aus den Sümpfen empor. Die ängstlichen Augen des Mädchens erspähten darin Gespenster, die ihr drohten, als wollten sie sie erwürgen. Sie hielt abwehrend die Hände vor die Augen und schrie laut vor Entsetzen. Die ganze Nacht lag sie so, zitternd vor Kälte und Angst. Niemand hörte ihre Klagerufe. Allein und hilflos mußte sie auf dem harten, feuchten Boden liegenbleiben. Tage und Nächte vergingen, voller Schmerzen und Qual für das kranke Mädchen. Es war fast ein Wunder, daß es sich überhaupt erholte. Nach einiger Zeit, als es sich wieder etwas besser fühlte, schleppte es sich mit schmerzenden Gliedern, müde und schmutzig, weiter. Ich hatte kein Glück mit dem Glasberg, dachte es, aber ich will doch den Mut nicht verlieren, sondern ich will weiter wandern, um anderswo mein Glück zu suchen."

Wieder vergingen Wochen und Monate. Das Mädchen wanderte immer weiter und erholte sich allmählich von seiner Krankheit. Da erblickte es eines Tages einen Wurm, der sich in krampfhaften Zuckungen am Boden wand. Ein kleines, schwarzes Tierchen hatte sich fest in seinen Körper verbissen. Der Wurm tat dem Mädchen leid, es verscheuchte seinen Quälgeist und legte das verwundete Tier in das feuchte Gras am Wegesrand.

„Könnte ich dir nur irgendwie deine Güte vergelten", flüsterte das gequälte Tier.

„Vielleicht könntest du mir einen guten Rat geben", sagte das Mädchen, „ich bin nämlich eine verzauberte Prinzessin und suche mein Reich. Jetzt wandere ich schon so lange und konnte es doch bisher nicht finden. Weißt du wohl, wo es sein könnte?"

Der Wurm überlegte eine Weile, dann sagte er: „Ich kenne eine seltsame Sage. Sie berichtet, daß meine Vorfahren vor langer, langer Zeit am Ufer eines einsamen Sees wohnten. Der Sage nach soll in diesem See eine Glücksinsel liegen. Man kann den See daran erkennen, daß eine große Wiese, bunter und herrlicher als andere, sich lieblich gegen das Ufer senkt und daß mitten auf der Wiese ein einzelner Rosenbusch steht, der eine einzige, dunkelrot leuchtende, wunderschöne Rose trägt. Wer diese Rose brechen kann, wird die Glücksinsel finden. Wenn du wirklich eine Glücksprinzessin bist, mußt du dort dein Reich suchen."

„Kannst du mir denn sagen, wo der See liegt?"

„Ich habe gehört, daß er weit gegen Osten liegen soll. Wenn du immer in der Richtung wanderst, wo du die Sonne aufgehen siehst, dann mußt du gewiß eines Tages dahin gelangen."

Das Mädchen nickte dem Wurm Lebewohl zu und lenkte seine Schritte gegen Osten. Es wanderte immer weiter über Berg und Tal.

Nach langem Wandern kam es eines Abends bei Sonnenuntergang an einen See, nach dessen Ufern eine grüne Wiese sich langsam hinuntersenkte. Und mitten auf der Wiese wuchs ein Rosenstrauch mit einer einzigen, wunderbaren, dunkelroten Rose. Als das Mädchen diese Blume erblickte, vergaß es alle Müdigkeit und alle Mühsale, die es auf der Wanderung ertragen hatte. Sicher war dies die Blume, von der der Wurm ihm erzählt hatte. Es lief zu dem Strauch und streckte begierig die Hände nach der Rose aus. Aber die Rose wuchs zu hoch, das Mädchen konnte sie nicht erreichen. Vergebens mühte es sich ab; es hob sich auf die Zehenspitzen und versuchte, die Zweige herunterzuziehen, aber es verletzte dabei nur seine Finger. Da sprang es hoch und versuchte, im Sprung die Rose zu erhaschen — vergeblich! Bald sank es erschöpft ins Gras.

Auf einem Zweig in der Nähe aber schaukelte sich ein kleiner Vogel. Er fing laut an zu zwitschern: „Du schmutzige, staubige Landstreicherin, wie unterstehst du dich nur, dich nach der schönen Rose zu strecken!"

Das Mädchen schaute auf seine zerlumpten, fleckigen Kleider, auf seine bloßen, staubigen Füße und seine roten, groben Hände, und es begriff, daß der Vogel recht hatte. Wahrlich, die schöne Blume paßte nicht zu ihm. Aber dann mußte es auch die Hoffnung fahren lassen, jemals zur Glücksinsel zu gelangen.

„Dann bin ich doch wohl keine Glücksprinzessin", dachte es, „die Gedanken muß ich mir wohl aus dem Kopf schlagen. Es ist am besten, daß ich mich demütige und Arbeit suche. Und ich muß wohl vorliebnehmen mit den kleinen Freuden und mich bescheiden mit dem Glück, das den armen Menschen zuteil wird; einige Freunde und ein Heim unter ihnen werde ich wohl auch finden können." Das Mädchen war niedergeschlagen und müde, als es dem See den Rücken wandte und wieder landeinwärts wanderte.

Es achtete nicht auf den Weg, sondern ging aufs Geratewohl durch einen großen Wald. Da gewahrte es plötzlich einen kleinen Schmetterling, der mit einem Flügel in einem dornigen Busch hängengeblieben war und nicht wieder loskommen konnte.

„Ach, hilf mir doch", bat der Schmetterling. Das Mädchen befreite das kleine, zitternde Tier.

„Ich bin der Diener einer mächtigen Fee", sagte es, „ihr Schloß liegt hier in der Nähe, und wenn du willst, werde ich dir den Weg dorthin zeigen."

„Vielleicht kann ich auch bei der Fee eine Anstellung finden", dachte das Mädchen und folgte dem Schmetterling. Sie kamen zu einem prächtigen Schloß, mitten im tiefsten Wald. Es war aus einer seltsamen, grünen Steinart erbaut und hatte ein Dach aus leuchtendem Kupfer. Der Pförtner, ein großer Hund, machte die Tür auf und ließ das Mädchen mit dem Schmetterling herein. Einige Katzen mit weißen Schürzen und zierlichen Häubchen auf dem Kopf, wie die Kammerzofen, empfingen das Mädchen und führten es zu ihrer Herrin. Die Fee lag auf einem Ruhebett aus grünem Samt. Ihr Kleid schimmerte in denselben rostbraunen Farben wie die letzten Blätter im Spätherbst, vom Frost angehaucht. Zwei kleine Schlangen mit grünen Köpfen schlängelten sich als Armbänder um ihre Handgelenke.

„Was suchst du hier bei mir, du Menschenkind?" fragte sie. „Ich bin eine verzauberte Prinzessin ohne Krone und Reich", antwortete das Mädchen, „hast du nicht eine Arbeit für mich?"

„Nein, ich habe keine Verwendung für dich", sagte die Fee, „gehe zu deinesgleichen."

„Ach, gütige Fee", bat nun der Schmetterling, „laß sie nicht so mit leeren Händen von dir gehen. Sie hat mich befreit, als ich mit dem Flügel in einem Busch hängenblieb."

„Dann will ich ihr auch beistehen, wenn sie einmal in großer Not und Betrübnis ist", versprach die Fee. Sie gebot dem Mädchen mit einer Handbewegung, sich zu entfernen, und langsam kehrte es in den großen Wald zurück.

Am nächsten Tage kam es in ein kleines Dorf. Es war gerade Feiertagsabend, und die Erwachsenen saßen auf den Türschwellen und sahen zu, wie die Kinder auf dem Wege spielten. Als die Kleinen das fremde Mädchen in dem zerrissenen, schmutzigen Kleid erblickten, zeigten sie mit den Fingern nach ihm und liefen ihm spöttisch lachend nach. Tränen der Verbitterung und Scham füllten seine Augen, und es beeilte sich, schnell weiterzugehen. So kam es in andere Dörfer und in viele Städte und wagte zuweilen, an eine Tür zu pochen, um nach Arbeit zu fragen. Meist wies man es mit harten, unfreundlichen Worten fort.

„Wende dich an das Armenhaus, du Landstreicherin", bekam es oft zu hören. Nur manchmal kam es vor, daß man draußen auf dem Lande in der eiligen Zeit der Heuernte auf Acker und Wiese Hilfe brauchte, aber diese Arbeit war zu schwer und ungewohnt für das Mädchen, und es konnte nicht von großem Nutzen sein. Dann schalt man es wieder und schickte es mit harten Worten fort.

„Alle anderen haben ein Heim und haben Freunde", dachte es bitter, „nur ich allein bin verstoßen und verachtet. Ich will weit fort von den Menschen gehen."

Als es in eine öde Heide hinauskam, wo es niemand sehen konnte, setzte es sich auf einen Baumstumpf und begann bitterlich zu weinen. Die Tränen rollten durchsichtig und klar über seine Wangen und blieben in seinem Schoß und auf der Erde ringsumher liegen. Einige glänzten weiß wie

Schnee, aber andere waren rot wie Blutstropfen. Und als einige auf seine gefalteten Hände fielen, fühlte es, daß sie hart wie Diamanten waren. Es blickte verwundert auf und merkte, daß Hunderte von funkelnden Edelsteinen in seinem Schoß und auf der Erde lagen. Aber statt froh darüber zu werden, lachte es höhnisch und schneidend. „Was soll eine Landstreicherin, wie ich, mit so vielen Diamanten anfangen!" dachte es, „die Menschen würden ja nur glauben, ich hätte sie gestohlen und würden mich ins Gefängnis werfen. Du, grausame Fee, die du mir all diesen Reichtum schenkst, ein Heim unter den Menschen, ein bißchen Freude und Glück hättest du mir wohl statt dessen gönnen können. Deine kalten, leblosen Steine kannst du selbst behalten."

Es sammelte die Edelsteine in seinen Rock und raffte mit zitternden Fingern zusammen, was an Steinen auf der Erde verstreut war. Als es keine mehr finden konnte, lief es zu einem tiefen, rauschenden Bach, der sich durch die Heide schlängelte, und warf die Steine in seine Wellen. Dann ging es weiter.

Abends kam es an ein baufälliges Häuschen. Es wagte nicht, hineinzugehen und um Nachtherberge zu bitten, denn es fürchtete die Menschen und ihre harten Worte. Eine große Hundehütte stand vor dem Häuschen, aber von einem Hund war nichts zu sehen. Da kroch das Mädchen hinein und legte sich im Stroh zum Schlafen zurecht. Aber bald kam der große Hund von seinen Streifzügen nach Hause zurück, und als er den Eindringling erblickte, fing er an, aus Leibeskräften zu bellen. Da kam ein Mann aus dem Hause heraus, um zu sehen, warum der Hund so einen Lärm schlüge. Als er das blasse, zerlumpte Mädchen in der Hundehütte erblickte, fühlte er Mitleid mit ihm und forderte es auf, ins Haus hereinzukommen.

„Viel können wir dir nicht bieten", sagte er, „aber unser trockenes Brot kannst du mit uns teilen und du hast wenigstens ein Dach über dem Kopf."

Das Innere des Häuschens war äußerst dürftig und ärmlich. In der Stube saß ein abgezehrtes Weib mit einem mageren, kleinen Kind auf dem Schoß. Das Kind verschlang gerade die letzten Reste einer Brotrinde, und als sie verzehrt waren, lutschte es leise weinend an den Fingern.

„Hast du ein Stückchen Brot übrig für dieses Mädchen, Mütterchen?" fragte der Mann.

„Ein kleines Stück wollte ich für morgen aufheben", sagte die Frau, „aber du kannst es ihm ja geben, denn es scheint so augehungert zu sein wie wir selbst."

Das Mädchen nahm das Stückchen Brot, aber ihm war dabei zumute, als ob es weinen müßte. „Ach", dachte es, „wäre ich doch nicht so stolz und bitter gewesen! Dann hätte ich jetzt meine Edelsteine und könnte diesen armen Leuten helfen."

Es suchte in den Falten seines Kleides, in der Hoffnung, daß vielleicht einer der kostbaren Steine sich dort versteckt hätte. Da fühlte es plötzlich in einer Falte der Schärpe etwas Hartes, und es war wirklich einer der Edelsteine, einer der allerkleinsten, aber er war klar und schimmernd. Das Mädchen reichte ihn der Frau.

„Hier hast du einen Edelstein", sagte es, „ kaufe dafür Brot für dich, deinen Mann und dein Kind." Sein Antlitz strahlte bei diesen Worten vor innerer Freude, und es fühlte sich plötzlich nicht mehr so arm und verstoßen.

„Du Liebe, du Gute", stammelte die arme Frau vor Freude.

Von dem Tage an war das Mädchen glücklich. Es glaubte nicht mehr, daß es eine verzauberte Prinzessin sei und wartete nicht mehr auf seine Krone und sein Reich. Aber es fand ein Heim, das es gesucht hatte, und blieb glücklich und zufrieden bei den armen Menschen draußen in der einsamen Heide.

Das Märchen von der Fee und dem kleinen Mädchen

Es war einmal eine Fee, die in Gestalt einer armen, alten Frau unter den Menschen lebte. Die Feenkönigin hatte sie vor vielen hundert Jahren mit der Weisung zur Erde hinuntergeschickt, den Menschen in aller Stille zu helfen, wo sie nur könnte. Die Fee tat auch ihr Bestes, um den Menschen mit Rat und Tat beizustehen, aber sie erntete wenig Dank dafür, und darum war sie der Menschen mit ihren Sorgen und ihrem Kummer bald herzlich leid. Nachts, wenn alle anderen schliefen, öffnete sie manchmal leise das Fenster ihres Kämmerchens und klatschte in die Hände. Dann kamen sechs große Pfauen mit einem Wagen aus weißen Federn angeflogen. Die Fee stieg in den Wagen, und die Vögel flogen mit ihr hoch, hoch hinauf zu einem fernen Stern. Dort lag das prächtige Schloß der

Fee. Da oben durfte sie ihre abgetragenen Werktagskleider ablegen und ihr goldbesticktes Feenkleid anziehen. Langsam wandelte sie durch die prachtvollen Gemächer und blieb manchmal an einem offenen Fenster stehen, um dem Gesang der Nachtigallen zu lauschen, die in den blühenden Bäumen nisteten. In der Morgendämmerung mußte sie wieder zur Erde zurückkehren, aber sie tat es schweren Herzens.

Eines Nachts befahl sie den Vögeln, noch weiter zu fliegen, zu dem großen, strahlenden Stern, wo das Reich der Feenkönigin lag. Als die Fee vor der Königin stand, verneigte sie sich demütig.

„Laß mich in mein Reich zurückkehren, o Königin", bat sie, „und schicke eine andere der Feen zur Erde hinunter."

Der Feenkönigin schönes Antlitz wurde ernst; sie hob die Hand zum Zeichen, daß alle Feen sich versammeln sollten. Sie kamen auch bald in ihren Federwagen angefahren und verneigten sich tief vor der Königin in Erwartung ihrer Befehle. Aber auf die Frage, ob eine von ihnen den Dienst auf der Erde übernehmen wollte, bekam sie keine Antwort.

Da wandte sich die Königin an die Fee, die schon bei den Menschen geweilt hatte, und sagte: „Da siehst du, daß niemand dich dort unten ersetzen will. Du mußt zu den Menschen zurückkehren."

Die Fee ließ ihre Blicke über die mit Gold und Edelsteinen ausgelegten Wände des Prachtgemaches gleiten; sie betrachtete die Königin in ihrem aus Sternenlicht gewobenen Gewand, sie musterte die andern Feen in ihren schönen, kostbaren Kleidern und dachte an deren sorgenfreies Leben. Dann dachte sie an ihr eigenes dunkles Kämmerchen unten auf der Erde, ihre abgetragenen, häßlichen Kleider und ihre schwere, undankbare Arbeit. Bitter und trotzig drehte sie sich um, verließ ohne ein Wort den Saal, setzte sich in ihren Wagen und lenkte ihn wieder zur Erde hinunter.

Dieses Mal war sie länger als gewöhnlich fortgewesen, und als sie sich der Erde näherte, war es schon hell, und die Menschen kamen schon aus ihren Häusern heraus. Die Fee ließ die Vögel mit dem Wagen sich auf eine Wiese herniedersenken, schickte sie wieder nach Hause und wollte sich gerade in eine alte, gebrechliche Frau verwandeln, als ein kleines Mädchen in einem weißen Kleid und mit einer großen, weißen Schleife in den dunklen Haaren auf die Wiese gelaufen kam. Als das Mädchen die Fee erblickte, blieb es stehen und starrte sie verwundert an. Niemals hatte es so etwas Schönes gesehen.

„Sie muß eine Fee sein", dachte es, und rief laut aus: „Ach, wenn ich doch eine Fee werden könnte!"

Da bekam die Fee eine plötzliche Eingebung, und sie sagte freundlich zu dem Kind: „Es ist gar nicht so schwer, eine Fee zu werden, wie du es dir vielleicht vorstellst. Siehst du, ich habe hier auf meinem Finger einen kleinen Ring. Ich brauche ihn nur umzudrehen und mir dabei etwas zu wünschen, dann geht mein Wunsch in Erfüllung."

„Kannst du mir nicht den Ring leihen?" fragte das Mädchen.

„Wenn ich dich in eine häßliche, alte Frau verwandelte und du mir versprechen wolltest, dich niemals jemandem in einer anderen Gestalt zu zeigen, solange du den Ring trägst, dann könnte ich ihn dir leihen. Aber du dürftest ihn nur zu guten, nützlichen Wünschen brauchen, sonst würde es dir schlecht ergehen."

„Ich verspreche dir alles, was du willst, wenn du mir deinen Ring gibst", sagte das Mädchen.

„Hier hast du ihn", versetzte die Fee, reichte ihn dem Mädchen und berührte es mit einem kleinen Stäbchen, das sie in der Hand hielt. Dann fühlte das Mädchen plötzlich, wie sein Rücken gebeugt und müde, seine Hände welk und zitterig wurden. Das weiße Kleid wurde zerlumpt und dunkel, die große, schöne Schleife wurde ein kleines, schwarzes Kopftuch. „Von diesem Augenblick an kannst du die Sprache der Tiere und Blumen verstehen", sagte die Fee, „und du kannst Wichtelmännchen, Elfen, Trolle und alle anderen Wesen, die den Menschenaugen unsichtbar sind, sehen. Nimm dich wohl in acht. In einem Jahr werde ich wiederkommen, um nachzusehen, wie du deinen Wunschring gebraucht hast." Die Fee hob warnend die Hand, und dann war sie plötzlich verschwunden.

Das kleine Mädchen sah sich den Ring genau an. „Was könnte ich mir jetzt eigentlich wünschen?" dachte es. Da lachte plötzlich jemand hinter ihr so boshaft und höhnisch, daß ihr ein kalter Schauer über den Rücken lief. Noch niemals hatte sie jemanden so unheimlich lachen gehört.

„Ich möchte gern den sehen, der so häßlich lacht", dachte sie und drehte in Gedanken an dem Ring. Kaum war das geschehen, als ein schönes junges Mädchen in einem dunkelgrünen Kleid und mit einem Kranz aus grünen Blättern im Haar aus dem Wald gesprungen kam.

„Was willlst du von mir?" fragte sie frech. Sie hielt beide Hände auf dem Rücken. „Pfui, was bist du für ein altes, häßliches Mütterchen!"

„Ich bin viel jünger als du und auch viel hübscher", sagte das Mädchen. Es vergaß ganz die Ermahnungen der Fee, drehte am Ring und wünschte sich seine frühere Gestalt zurück. Da wurde es wieder das kleine Mädchen in dem weißen Kleid.

„Aha, du kannst zaubern", sagte die Waldfrau und lachte wieder boshaft. Sie kam langsam näher und ging in einem Kreis um das Mädchen herum. Dann setzte sie sich ins Gras und pfiff gellend. Gleich kamen alle möglichen Tiere und Vögel aus dem Wald und umringten sie.

„Mein kleiner Vogel ist ja nicht hier", sagte die Waldfrau und pfiff nochmals. Da kam ein kleiner, bunter Vogel angeflogen. Sein Kopf und seine Flügel schimmerten leuchtend rot im Sonnenschein; er setzte sich auf die ausgestreckte Hand der Waldfrau und sang so schön, daß die Augen der Kleinen sich mit Tränen füllten.

„Willst du den Vogel haben?" fragte die Waldfrau.

Ach, das wollte das Mädchen nur zu gerne.

„Dann schließe die Augen und reiche mir die Hände", befahl sie. Als das Mädchen das tat, war die Waldfrau mit einem Sprung an ihrer Seite und riß ihr den Ring weg.

„Du Dummerchen, jetzt bist du in meiner Gewalt", lachte sie und führte einen wilden Freudentanz auf. Da erst begriff das Mädchen, daß sie die Waldfrau vor sich hatte und fing an bitterlich zu weinen.

„Höre doch mit dem Heulen auf, du dummes Ding, du sollst jetzt als meine Magd bei mir bleiben und mich bedienen. Wir werden es ganz lustig zusammen haben. Schau her, nimm den Kamm und mache mir das Haar schön in Ordnung."

Sie löste ihr reiches Haar und setzte sich mitten auf die Wiese. Das Mädchen mußte hinter ihr stehen und sie kämmen, und alle Tiere standen in einem Kreis um sie herum.

„Wie ungeschickt du bist", sagte die Waldfrau und gab ihr einen Klaps, „jetzt wollen wir schaukeln."

Sie lief in den Wald zurück und kletterte dort in eine hohe Tanne hinauf. Als sie oben im Wipfel angelangt war, hing sie sich an die äußersten Zweige und schwang sich hin und her.

„Komm du auch", rief sie hinunter. Aber das Mädchen hatte Angst und weinte.

„Du bist wirklich ein richtiger Angsthase", sagte die Waldfrau ärgerlich. „Aber jetzt wollen wir den Wichtelmännchen einen Streich spielen!"

Flink wie ein Wiesel kam sie vom Baum herunter, schlüpfte zwischen den Bäumen durch, und das Mädchen konnte nicht so schnell mitkommen. Als es die Waldfrau zwischen den Stämmen verschwinden sah, dachte es, daß es jetzt die Gelegenheit benutzen könnte, um zu entwischen. Aber im selben Augenblick war die Waldfrau wieder da und schlug es so hart, daß es vor Schmerz laut aufschreien mußte.

„Das hast du dafür, daß du fliehen willst", zischte sie, und sie war so böse, daß ihre Augen ganz rot waren. Sie pfiff nach einer Schlange, die sich im Grase sonnte, und legte sie dem Mädchen um den Hals.

„Das nächste Mal, wenn du ungehorsam bist oder entwischen willst", sagte sie, „wird die Schlange dich beißen."

Jetzt mußte das Mädchen der Waldfrau nachlaufen, so schnell ihre Beine sie nur tragen konnten, und sie kamen immer tiefer in den Wald hinein. Die Bäume standen so dicht, daß es ganz dunkel da drinnen war; unförmliche Felsblöcke, mit weichem, grünem Moos bedeckt, waren über den Boden verstreut, und Pilze mit großen, roten Hüten leuchteten drinnen in der Dämmerung. Plötzlich gelangten sie zu einer hohen Bergwand. Ein kleiner Bach stürzte den Berg herunter und bildete einen sprudelnden Wasserfall. Im Bach erblickte das Mädchen zu seinem Erstaunen eine kleine Waldnixe mit freundlichen, blauen Augen. Sie saß an der Bergwand und ließ das Wasser über Kopf und Schultern spülen.

„Nachher wirst du etwas Lustiges erleben", sagte die Waldfrau, „dann werden wir den Wasserfall hinunterrutschen. Aber zuerst müssen wir die Wichtelmännchen drinnen in dem Berg besuchen. Ich konnte früher nie in den Berg hinein, aber jetzt werden wir beide mit Hilfe des Ringes hineinschleichen können."

Sie verwandelte sich und das Mädchen in zwei kleine Ameisen und fand eine Spalte in der Bergwand, durch die sie hineinkriechen konnten. Da drinnen war es so dunkel, daß sie nichts sehen konnten, aber als ihre Augen sich allmählich an die Dunkelheit gewöhnten, gewahrten sie weit drinnen im Berg kleine Lichtpünktchen sich bewegen und krochen dahin. Die Lichtpünktchen waren kleine Wichtelmännchen, die mit Laternen in den Händen herumliefen und mit kleinen Goldhämmerchen an die Bergwand klopften. Sie hatten lange, weiße Bärte und rote Zipfelmützen auf den weißen Haaren.

Die beiden kleinen Ameisen krochen durch einen langen Gang und gelangten in eine große, gewölbte Höhle. Da lagen Gold, Silber und Edelsteine auf dem Boden angehäuft, und unzählige Wichtelmännchen waren damit beschäftigt, die Schätze in Säcke und Kisten zu füllen, die nachher an der Wand übereinandergestapelt wurden.

„Tiefer drinnen im Berg wohnt der Bergkönig selbst, dorthin wollen wir auch gehen", flüsterte die Waldfrau. Sie krochen nochmals durch einen unendlich langen Gang, der zu einem großen Saal führte. Dort saß der Bergkönig an einem runden Steintisch; die Wichtelmänner hatten ihn angekettet, weil sie mit ihm unzufrieden waren.

Die Waldfrau nahm wieder ihre gewöhnliche Gestalt an, setzte sich rittlings auf den Tisch zu dem König und zupfte ihn an seinem Bart.

„Du langweilst dich sicher, Alter", höhnte sie.

Der Bergkönig würdigte sie keiner Antwort, er blickte abwesend und traurig vor sich hin.

Das Mädchen fühlte Mitleid mit ihm. „Willst du ihn nicht befreien?" fragte es.

„Ich werde mich hüten", lachte die Waldfrau, „mit dem Alten ist nicht zu spaßen."

Sie glitt vom Tisch herab, streckte die Zunge nach ihm aus und verwandelte sich in eine kleine Ameise.

„Jetzt werden wir uns einen Spaß machen", sagte sie. Sie krochen wieder zu den Wichtelmännchen hinaus.

„Ich wünsche, daß alle Laternen erlöschen und nie mehr angezündet werden können", sagte sie und drehte den winzigen Ring, der um eins ihrer Beine saß. Gleich verlöschten alle Laternen, und es entstand eine große Aufregung unter den Wichtelmännchen. Sie liefen wie besessen umher.

„Jetzt nehme ich euren Schatz", rief die Waldfrau.

„Die Waldfrau hat sich hereingeschlichen", zischten die Wichtelmännchen in ohnmächtiger Wut. Aber die Waldfrau lachte nur und wünschte sich aus dem Berg hinaus. Gleich stand sie mit dem Mädchen draußen im Walde.

„Jetzt wollen wir zu den Menschen gehen, um ihnen einen Streich zu spielen", sagte die Waldfrau.

„Dann mache ich nicht mit", wollte das Mädchen antworten, als es plötzlich fühlte, wie die Schlange sich bewegte. Da blieben ihr die Worte im Halse stecken.

Die Waldfrau eilte zu der Landstraße, die sich durch den Wald zog, und das Mädchen mußte hinterherlaufen, so schnell es nur konnte. Sie legten sich hinter einem Busch auf die Lauer. Nach einer Weile kam ein Bauer mit einer Fuhre den Weg entlang. Das Pferd ging im Schritt, der

Mann ließ die Zügel schlaff hängen und war oben auf dem Bock fest eingenickt. Gleich verwandelte die Waldfrau sich und das Mädchen in zwei Bremsen. Sie flogen dem Pferd in die Ohren und stachen es tüchtig. Das Pferd bäumte sich und ging durch, und plötzlich kippte der Wagen um, und der Bauer fiel in den Graben.

„Wollen wir nicht nachsehen, ob er sich weh getan hat?" fragt das Mädchen.

„Du bist immer zimperlich", sagte die Waldfrau, „das kann ich nicht leiden."

Sie gingen eine Weile den Fahrweg entlang. Weit in der Ferne sahen sie zwei kleine Kinder ankommen. Da verwandelte die Waldfrau sich und das Mädchen in zwei wunderschöne Schmetterlinge, einen blauen mit silbernen Tüpfchen auf den Flügeln und einen roten mit dunkellila Zeichnungen, und so flatterten sie hin und her über den Weg.

„Welch wunderschöne Schmetterlinge!" riefen die Kinder und wollten sie fangen. Aber die Schmetterlinge flatterten langsam weiter, gerade so nahe, daß die Kinder der Versuchung nicht widerstehen konnten, ihnen nachzujagen. So lockten sie die Kinder vom Wege fort, immer tiefer in den dichten Wald hinein. Plötzlich waren die Schmetterlinge verschwunden, und die Kinder hörten nur ein boshaftes Lachen hinter dem nächsten Baumstamm.

„Jetzt werden sie nicht mehr nach Hause finden", sagte die Waldfrau. Da weinte das Mädchen verstohlen.

„Hast du je einen Troll gesehen?" fragte die Waldfrau. Das Mädchen schüttelte verneinend den Kopf.

„Dann werde ich dir den Trollkönig und seinen ganzen Hofstaat zeigen."

Sie führte das Mädchen aus dem Walde hinaus. Am Waldrand lag ein großer Steinblock.

„Weg mit dir, Stein", befahl die Waldfrau und drehte den Ring. Da bewegte sich der Stein und wälzte sich zur Seite. Er hatte eine Öffnung bedeckt, und dort führte eine Treppe in die Erde hinunter. Am Fuße der Treppe gelangten sie in eine große Höhle. Da lagen zahlreiche, unförmliche schwarze Gestalten auf dem Boden und schnarchten so laut, daß man glauben konnte, ein Donnern zu hören.

„Guten Tag, Freunde", rief die Waldfrau, „hier liegt ihr noch und schlaft, trotzdem es schon lange hellichter Tag ist."

Sie ging von einem zum anderen und rüttelte sie wach. Sie rieben sich schläfrig die Augen, grunzten mißgelaunt und setzten sich auf. Niemals hatte das Mädchen so etwas Häßliches gesehen. Sie hatten unförmliche Nasen, große Mäuler mit gelbgrünen Hauern und heraussstehende, rollende Augen. Sie waren vom Kopf bis zu den Füßen mit schwarzen Haaren bewachsen und hatten lange Schwänze.

„Wen bringst du da mit?" fragten sie.

Die Waldfrau wußte, daß die Trolle die Menschen fürchten und hassen, und deswegen wollte sie nicht erzählen, das es ein Mädchen wäre

„Das ist nur ein kleines Angsthäschen", sagte sie, „übrigens mag ich es nicht leiden und ihr könnt es bei euch behalten."

„Sie sieht gar nicht so übel aus", sagte der Trollkönig, der sich jetzt mit einer Krone auf dem Haupt auf seinen Thron gesetzt hatte. „Ich suche gerade eine Frau für meinen ältesten Sohn. Es ist schrecklich weit bis zum nächsten Trollkönig, und die Gegend ist so unsicher für uns Trolle, daß wir uns kaum draußen zu zeigen wagen. Eine der Hofdamen will er nicht zur Frau haben. Vielleicht paßt ihm dieses kleine weiße Angsthäschen besser."

Das Mädchen erschrak so sehr, daß ihm die Haare zu Berge standen.

„Jetzt sollt ihr tanzen und froh sein, Kinder", sagte der König und setzte sich auf seinem Thron zurecht. Zwei dicke, eklige Kröten krochen zu ihm in seinen Schoß herauf, und zweihundert schwarze Katzen stellten sich an den Wänden auf und erleuchteten die Höhle mit ihren grünen, funkelnden Augen. Einer der Trolle hatte ein Stück ausgehöhltes Holz und blies hindurch. Da entstand eine schreckliche Katzenmusik. Die Trolle hüpften und sprangen in der Höhle umher.

„Du mußt mit dem weißen Angsthäschen tanzen", sagte der König zu seinem Sohn und gab ihm einen Puff. Da legte der Königssohn seinen schwarzen Arm um das Mädchen und sie war gezwungen, mit ihm herumzuhüpfen. „Na, wie gefällt sie dir denn?" fragte der König, als der Tanz zu Ende war, „willst du sie heiraten?"

„Nein, die Vogelscheuche will ich nicht haben", sagte der Trollprinz.

„Dann wollen wir sie auch nicht hier behalten", sagte der König zur Waldfrau.

„Aber du brauchst ja dringend jemand für die Pflege der Katzen und ein Mädchen in der Küche zum Kochen", meinte die Waldfrau. „Deine Hofdamen sind ja alle zu faul dazu."

Dieser Vorschlag gefiel dem König ganz gut. Er befahl gleich dem Mädchen, unzählige Kröten und Schlangen über dem Feuer zu braten. Dann mußte es Wasser oben im Wald holen. Ein paar Katzen gingen mit ihm, um es zu bewachen, damit es nicht entwischen könnte.

Das Mädchen hatte es eigentlich nicht schlecht bei den Trollen. Sie waren im Grunde gutmütig und taten niemandem etwas zuleide, wenn sie nicht gereizt wurden. Sie schliefen meist den ganzen Tag, und das Mädchen hatte nichts anderes zu tun, als die zweihundert Katzen zu bürsten, das Essen der Trolle zuzubereiten und Wasser zu holen. Die Katzen hingen bald sehr an dem Mädchen und bewachten es nicht mehr so strenge, wenn es zuweilen im Walde umherstreifte, statt gleich mit dem Wasser zur Höhle zurückzukehren.

Eines Tages traf es auf einem dieser Streifzüge eine kleine Wassernixe, eine Schwester der Waldnixe, die es damals am Wichtelmännchenberge gesehen hatte. Die kleinen Wassernixen sind gutherzige, freundliche Geschöpfe, und als das Mädchen ihr von seinen Erlebnissen erzählte, war die Nixe voll Mitgefühl.

„Warum versuchst du nicht zu entfliehen?" fragte sie.

„Den Katzen, die mich bewachen, habe ich versprechen müssen, nicht davonzulaufen", antwortete das Mädchen. „Wenn sie ohne mich nach Hause kämen, würden sie lebendig gebraten werden. Ich kann nur draußen bleiben bis zum Sonnenuntergang. Dann erwachen die Trolle und wollen ihr Essen haben."

Die Wassernixe wollte dem Mädchen gerne eine Freude bereiten und fragte, ob es sie nicht einmal nach dem großen Meer begleiten wollte, um die kleinen Meernixen zu besuchen. „Vor Sonnenuntergang werden wir wieder zurück sein", versicherte sie, „setze dich nur auf meinen Rücken, dann werde ich mit dir dahin schwimmen."

Das Mädchen tat so, und die Nixe legte sich auf das Wasser und ließ die Wellen des Baches sie beide forttragen. Dieser eilte durch Wälder und Ebenen, an Dörfern und Städten vorbei, er wuchs zu einem Fluß, der schließlich in das große Meer mündete.

„Klammere dich nur fest an mich", sagte die Nixe und tauchte tief in das Meer hinunter. Das Mädchen erschrak zuerst gewaltig, aber dann merkte es, daß es gut im Wasser atmen konnte. Obwohl es seinen Ring und damit dessen Zauberkraft verloren hatte, hatte es doch viele Eigenschaften einer Fee behalten. Bald sah es dort unten in dem schimmernden Halbdunkel ein Schloß aus Korallen. Es lag in einem Wald von blaßgrünen, seltsamen Bäumen. Helle, durchsichtige Blumen bewegten im Wellenschlag am Boden sacht ihre Kelche hin und her. Eine Schar Meernixen spielte draußen vor dem Schloß. Einige spielten Ball mit Perlen, so groß wie Vogeleier, andere fütterten die Fische oder jagten sie vor sich her.

Als sie die Nixe und das Mädchen erblickten, liefen sie auf sie zu und hießen sie willkommen. Sie nahmen das Mädchen bei der Hand und führten es im Meeresreich umher. Es sah dort unten viele wunderbare Pflanzen und Bäume, die nicht oben im Tageslicht wachsen, und vielerlei seltsame Fische, von denen einige in den Farben des Regenbogens schimmerten, während andere einen seltsamen matten Lichtschein verbreiteten. Die Meernixen bewegten sich so leicht im Wasser wie die Vögel in der Luft, und dem Mädchen fiel es schwer, gleichen Schritt mit ihnen zu halten.

„Jetzt wirst du schöne Musik hören", sagten sie. Das Mädchen mußte in eine riesengroße Muschelschale steigen, die von großen, buntschimmernden Fischen mit roten und blauen Flossen gezogen wurde. Diese schwammen zu einer Wiese mit meterhohem saftigen Gras. Dort weideten die weißen Kühe des Meerkönigs. Sie hatten Hörner und Hufe aus Silber und waren viel größer als alle Kühe, die das Mädchen je auf der Erde gesehen hatte. Ein Neck saß auf einem großen Stein. Einen Hirtenstab hatte er in das Gras neben sich gelegt und die Harfe zwischen die Knie genommen. Er war ein alter Mann mit weißem Haar und Bart, in einen weiten, dunkelgrünen Mantel gehüllt und mit einer Silberkrone auf dem Haupt. Die Meernixen erzählten, daß er eigentlich der König des Mondlandes sei.

„Er ist aus seinem Land verjagt worden und mußte hierher flüchten, weil er das helle Licht oben auf der Erde nicht vertragen konnte. Nur in mondhellen Nächten steigt er zur Meeresoberfläche empor, blickt zu seinem fernen Heimatland hinauf und singt seine Sehnsucht und Trauer in schmelzenden Tönen in die Nacht hinaus."

Auch jetzt ließ er die Finger träumend über die Saiten gleiten, und sie klangen so weich und schwermütig, daß sowohl die Nixen als auch das Mädchen traurig wurden. Lange standen sie regungslos, gebannt vom Zauber der Musik.

Die erste, die die Stille unterbrach, war die Wassernixe. „Jetzt müssen wir wieder nach Hause eilen", sagte sie. Die Meernixen folgten ihnen zur Meeresoberfläche hinauf und winkten zum Abschied. Auf dem Rückweg mußte die Nixe dem Strom entgegenschwimmen. Darum ging es viel langsamer vorwärts, und sie kamen erst im letzten Augenblick nach Hause.

Die kleine Nixe hatte das Mädchen sehr lieb und hätte ihm gerne geholfen. Aber was konnte sie gegen die mächtige Waldfrau ausrichten! Da kam ihr der Zufall zu Hilfe. Eines Tages kam die Waldfrau gelaufen, um im Bach ein Bad zu nehmen. Als sie sich im Wasser ausstreckte und die Wellen über sich gleiten ließ, überkam sie ein schläfriges Wohlbehagen und sie schloß die Augen. Mit einem Sprung war die kleine Nixe bei ihr, zog ihr den Ring ab und war ebenso hastig verschwunden, wie sie gekommen war. Die Waldfrau tobte vor Wut, aber es half ihr nichts; die kleine Nixe mit dem Ring konnte sie nirgends finden.

Das Mädchen konnte nicht Worte genug finden, um seine Dankbarkeit auszudrücken, als die Wassernixe ihm den Ring wieder aushändigte. „Wünsche dir etwas", sagte es, „was es auch sein mag, ich will es dir geben."

Da lachte die Nixe. „Was könnte ich mir wünschen! Ich habe nie einen Kummer gehabt und nie einen Wunsch, der nicht sofort in Erfüllung ging."

Zum letztenmal kehrte das Mädchen zu den Trollen zurück und verrichtete seine gewohnten Arbeiten. Als alle beim Essen waren, drehte es seinen Ring und war vor ihren Augen verschwunden.

„Wo ist das weiße Angsthäschen?" fragte der König erstaunt, aber keiner der Trolle konnte seine Frage beantworten. —

Während das Mädchen bei der Waldfrau und den Trollen lebte, war ein ganzes Jahr vergangen. Es hatte selber keine Ahnung, wie lange es von zu Hause fortgewesen war. Jetzt wünschte es sich zur Wiese zurück. wo ihm die Fee begegnet war, denn nicht weit davon lebten seine Eltern. In der Gestalt einer alten Frau wollte es sie aufsuchen und ihnen erzählen, daß ihre kleine Tochter noch lebe und bald zu ihnen zurückkommen würde. Aber sie kam nicht dazu, ihren Entschluß auszuführen. Eine gebeugte, alte Frau erwartete sie auf der Wiese. Es war jene Fee, aber das Mädchen erkannte sie nicht.

„Willst du mir nicht nach Hause helfen?" fragte die Alte, „ich bin schon so weit gewandert und bin jetzt so müde. Gib mir deinen Arm zur Stütze."

Das Mädchen war ungeduldig, zu den Eltern nach Hause zu kommen, aber es beherrschte sich und sagte freundlich: „Ich will dir gerne helfen,

Mütterchen, stütz dich nur fest auf meinen Arm." So gingen sie wieder in den Wald hinein. Aber bei jedem Schritt hing die Alte immer schwerer am Arm des Mädchens. Es wurde so müde, daß es kaum weitergehen konnte. Da drehte es an dem Ring und wünschte, daß sie gleich vor dem Haus der Alten stehen möchten, aber der Ring hatte augenscheinlich seine Kraft verloren.

Das Mädchen bot wirklich alle seine Kräfte auf, um die Alte weiterzuschleppen, aber bald mußte es stehenbleiben.

„Jetzt kann ich nicht mehr", sagte es.

„Du mußt", antwortete die Fee. Das Mädchen dachte, daß es jetzt einer bösen Hexe in die Hände gefallen sei, deren Macht noch größer wäre als die des Wunschringes.

„Ich habe einen Zauberring", sagte sie, „wenn du mich gehen läßt, werde ich ihn dir schenken."

Da verwandelte sich die Alte plötzlich in eine schöne Fee. Das Mädchen erkannte sie gleich, und es begann vor Angst zu zittern, denn es fürchtete sich, weil es den Weisungen der Fee nicht gefolgt war.

„Wie hast du deinen Ring gebraucht?" fragte die Fee streng.

Das Mädchen antwortete nicht, sondern barg das Gesicht in den Händen und schluchzte.

„Komm", sagte die Fee, „meine Königin wird das Urteil über dich fällen, und sie wird bestimmen, welche Strafe du für alles Böse verdienst, das du angestellt hast."

Sie setzte das Mädchen in den Federwagen und flog mit ihm zum Reich der Königin. Aber die Feenkönigin war gut und milde. „Du selbst", sagte sie, „warst ebenso gedankenlos und ungehorsam wie das kleine Mädchen, und du hast ebensoviel Schuld an allem wie sie. Laß

ARTELIUS

sie ihren Wunschring behalten. Als eine arme, alte Frau muß sie unten auf der Erde leben und ihren Mitmenschen helfen. Ich bin sicher, daß sie jetzt besser ihre Pflichten erfüllen wird. Jedes Jahr muß sie einmal hierherkommen, um Rechenschaft abzulegen. Aber wenn sie mir tausend Jahre treu gedient hat, wird sie erlöst und darf hier oben bei mir bleiben. Du selbst wirst auf einen fernen Stern verbannt. Einsam und machtlos mußt du dort leben, und erst wenn du demütig und reuevoll bist, darfst du dich wieder vor meinen Augen zeigen."

Hinter den blauen Bergen

In einem Gärtchen lag einst ein kleines, niedriges Häuschen. Dadrinnen wohnte ein kleiner Junge, das Kind armer Leute, und von ihm möchte ich dir heute erzählen.

Das Gärtchen war von einem baufälligen, grauen Zaun umgeben, und da stand eines schönen Sommertages der kleine Knabe und schaute neugierig durch die morschen Latten in die weite Welt hinaus.

Er sah grüne Wiesen, auf denen einige Kühe weideten, und wogende Kornfelder. Jenseits davon lag ein waldbewachsener Hügel, und hinter dem Wald dehnten sich wieder weite Wiesen und Felder. Ganz hinten am Horizont sah er die Wellenlinien ferner Bergketten. Sie wurden immer höher, und die letzten verschwammen in einem blauen Dunst. Der Junge fragte sich, wie die Welt wohl hinter den blauen Bergen aussähe.

Er ging zu seiner alten Großmutter, die mit ihrem Strickzeug auf der Haustreppe saß und setzte sich zu ihr.

Niemand konnte den Kindern so schöne Märchen erzählen wie sie, Geschichten aus alten Zeiten, als sie selbst noch jung war. Und die Großmutter hatte eine Antwort auf alle Fragen.

„Großmutter", sagte jetzt der Knabe, „weißt du wohl, wie es dort hinter den hohen Bergen aussieht?"

„Hinter den grünen Bergen liegen Wiesen und Felder, Häuser und Wälder, Dörfer und Städte, da gibt es Bäche, Flüsse und Seen. Und auch das große Meer. Aber noch weiter hinter den blauen Bergen, dort weit drüben am Horizont, da liegt..."

Hier hielt sie plötzlich inne, seufzte tief und schüttelte gedankenvoll ihren alten, müden Kopf.

„Großmutter, was gibt es da?" fragte der kleine Junge atemlos.

Mit leiser, träumender Stimme sprach dann die Alte weiter: „Als ich klein war, erzählte man mir, daß dort ein herrliches Land liegt, das Land der Sehnsucht genannt. Da soll es eine Quelle geben mit einem wunderbaren Wasser, ein Lebenswasser, das die Gabe hat, Tote aufzuerwecken und Alten und Gebrechlichen neue Jugendfrische zu schenken. Dort soll auch irgendwo unter einem großen Baum ein Schatz vergraben liegen. Aber weißt du, es ist so weit, so weit bis zu den blauen Bergen, obgleich sie so nahe zu sein scheinen. In meiner Kindheit erzählte man mir von jemandem, der dahin wandern wollte, und der niemals zurückkam —"

„Was erzählst du denn da für Geschichten", sagte die Mutter des Knaben, die jetzt auf die Treppe herauskam, „sein Kopf ist ja ohnehin so voll von Grillen."

Die Großmutter schwieg, und der Junge durfte nun nicht weiterfragen. Aber an dem Abend fiel es ihm schwer, einzuschlafen. Er mußte die ganze Zeit über alles nachdenken, was ihm die Großmutter erzählt hatte, und als er endlich einschlief, träumte er von dem fernen Land, er hörte die wunderbare Quelle rauschen, und unter einem Baum, dessen Laubwerk im Sonnenschein bläulich schimmerte, sah er glänzende Goldtaler verstreut liegen.

Am nächsten Morgen hatte er einen festen Entschluß gefaßt, ging zu seinem Vater und verkündete mit wichtiger Miene und mit den Händen in den Hosentaschen: „Vater, ich werde nach dem Land hinter den blauen Bergen gehen, um den kostbaren Schatz zu suchen. Dann brauchen Mutter und du nicht mehr soviel zu arbeiten, und wir dürfen uns alle jeden Tag sattessen." Der Knabe hatte nämlich viele Geschwister, und da die Eltern arm waren, mußten die Kinder oft hungrig ins Bett gehen.

Der kleine Junge war ganz erstaunt darüber, daß der Vater und die Mutter ihn jetzt nur auslachten. „Wie willst du einen Schatz finden?" fragten sie.

Aber der Knabe war hartnäckig. Jeden Morgen wiederholte sich dasselbe: der Junge pflanzte sich vor dem Vater breitbeinig auf, sah ihn mit seinen großen, treuherzigen Kinderaugen an und brachte immer wieder sein Anliegen vor. Zuletzt sagte der Vater: „Laß ihn nur gehen. Er wird bald wieder zurückkommen." Da schnürte die Mutter ihm ein Bündelchen und steckte ihm etwas Brot, eine Käserinde und etwas gesalzenes Fleisch in die Tasche. Der Junge zog sein sauberes Sonntagshemd und seine guten Hosen an, steckte eine Wolljacke in das Bündel hinein und kam sich prächtig ausgerüstet vor. Dann küßte er seine Mutter, seine Großmutter und alle seine Geschwister zum Abschied, gab seinem Vater einen festen Handschlag, holte sich einen kleinen Stock, den er sich selbst geschnitten hatte, und wanderte getrost in die weite Welt hinaus.

Als er über die Wiesen und Felder gegangen und über den waldigen Hügel geklettert war und dann noch weiter Wiesen und Äcker hinter sich gelegt hatte, erklomm er die erste niedrige Bergkette. Oben auf dem Gipfel wandte er sich um und blickte zurück nach dem roten Häuschen, in dem er seine Kinderjahre verlebt und nun alle seine Lieben zurückgelassen hatte. Bei diesem Anblick wurde ihm das Herz recht schwer, und ein paar Tränen rollten verstohlen über seine Wangen. Aber er wollte nicht weich und wankelmütig werden, sondern sandte dem Häuschen einen letzten Abschiedsblick zu, wandte sich um und setzte seine Wanderung fort.

Die blauen Bergketten weit hinten am Horizont waren sein Ziel. Am Tage verschwammen sie vor seinen Augen im Sonnendunst, nachts sah er sie in seinen Träumen. Er wanderte durch Dörfer und Städte, durch dunkle Wälder und über sonnige Wiesen, und er erkletterte eine Bergkette nach der anderen. Aber zu seiner großen Enttäuschung merkte er, daß die Berge, die in der Ferne bläulich schimmerten, immer grüner wurden, je mehr er sich ihnen näherte, und wenn er endlich an ihren Fuß gelangt war, da fand er sie stets mit grünen Wäldern bewachsen. Aber als er sie bestiegen hatte, lockten wieder neue blaue Berge in der Ferne.

So wanderte er immer weiter von der Heimat fort. Der Herbst folgte dem Sommer, der Frühling dem Winter. Zuweilen, wenn die Sonne schien und er sich bei barmherzigen Menschen hatte sattessen können, war er guten Mutes, pfiff und sang lustige Lieder. Aber zuweilen, wenn es in Strömen regnete oder der Sturm an seinen abgenutzten Kleidern zerrte und der Hunger ihn folterte, war er niedergeschlagen und mutlos und sehnte sich nach Hause.

Nach einigen Jahren war er ganz aus seinen Kleidern herausgewachsen. Seine Hemdsärmel hingen in Fransen um die Ellenbogen, und die Hosen waren so kurz und so eng, daß sie an den Nähten platzten. Da ging er zu einem Bauern in den Dienst als Hirtenknabe, und als er genug verdient hatte, kaufte er sich neue Kleider. So neu ausgerüstet, begab er sich von neuem wieder auf die Wanderschaft.

Als er schon zum Jüngling herangewachsen war, kam er eines Tages in ein Land, dessen Bewohner in großer Betrübnis und Unruhe waren. Drei böse Riesen hatten sich auf einem hohen Berg in der Nähe der Hauptstadt niedergelassen, und sie verlangten vom König, daß er ihnen jede Woche ein Kind ausliefern solle. Die Höhle der Riesen wurde von einem wütenden Hund mit hervorstehenden, feuersprühenden Augen bewacht.

Als der König die Forderung der Riesen abgeschlagen hatte, waren sie mit dem Hund nachts in bewohnte Gegenden eingefallen. Mit gewaltigen Steinen und Baumstämmen hatten sie Dächer und Wände der Gebäude eingeschlagen, und als die armen Menschen, die darin wohnten, zu fliehen versuchten, wurden sie wie Fliegen von den Riesen erschlagen.

Als der König dies erfuhr, schickte er seine Soldaten aus, um die Riesen zu vertreiben, aber als sie die Heerscharen unten ankommen sahen, wälzten sie große Steinblöcke die Berge hinunter, die Hunderte von Menschen auf einmal zerschmetterten. Entsetzen packte die Soldaten, und sie flohen in die Stadt zurück. Dann ließ der König den Wald, der die Hänge des Berges bedeckte, in Brand stecken, aber die Riesen rissen alle Bäume und Büsche in einem großen Kreis rings um ihre Höhle aus und stampften den Boden ganz fest, so daß das Feuer ihre Wohnung nicht erreichen konnte. Jetzt wußte sich der König keinen Rat mehr, sie zu bezwingen, und er befahl, daß unter allen Jünglingen des Landes gelost werden sollte. Derjenige, auf den das Los fiel, sollte zuerst den Riesen geopfert werden. Auch der fremde Knabe wurde gezwungen, an der Verlosung teilzunehmen, und so fiel das Los auf ihn. Er war sehr traurig darüber, daß er sterben sollte, ehe er nun sein Ziel erreicht hatte, und er weinte bitterlich, während er den Berg hinaufkletterte.

„Was für feige Geschöpfe sind doch die kleinen Menschen", höhnten die Riesen, „sie können nicht einmal ohne Klagen und Tränen dem Tod ins Auge sehen."

„Ich bin nicht bange davor, zu sterben", sagte der Knabe, „aber ich weine darüber, daß ich niemals das Land der Sehnsucht hinter den blauen Bergen sehen darf, wo der große Schatz begraben liegt und wo die wunderbare Quelle mit dem Wasser des Lebens hervorsprudelt."

„Was ist das für eine merkwürdige Quelle?" fragten die Riesen.

Der Knabe antwortete: „Es ist die Quelle, deren Wasser neues Leben und neue Jugend dem verleiht, der davon trinkt. Jetzt bin ich schon so viele Jahre gewandert und bin so nahe an die blauen Berge gekommen. Wenn ihr mir das Leben schenkt, will ich euch das wunderwirkende Wasser holen."

Nun ist es so, daß auch die Riesen einmal sterben müssen, obwohl ihr Leben viel länger ist als das der Menschen. Der Gedanke, ihr Leben verlängern zu können, erschien ihnen sehr verlockend. „Wenn du uns nur nicht anführen willst", sagten sie argwöhnisch.

„Wenn ihr meinem Wort nicht glauben wollt", entgegnete der Knabe, „dann ist es am besten, daß ihr mich gleich tötet."

Die Riesen beratschlagten nun miteinander, dann sagten sie: „Wir werden dich unverletzt gehen lassen, wenn du uns versprichst, das Lebenswasser zu holen, aber ein anderes Kind muß dann an deiner Stelle hierhergeschickt werden."

„Nein", sagte der Knabe mit Nachdruck, „darauf gehe ich niemals ein. Wenn ihr wirklich wollt, daß ich euch diesen großen Dienst erweisen soll, dann müßt ihr mir versprechen, niemandem in diesem Lande etwas zuleide zu tun und euch still und friedfertig zu verhalten, bis ich zurückkommen werde."

Die Riesen sind ein sehr einfältiges Geschlecht und lassen sich leicht überreden. Sie hatten eine so unwiderstehliche Sehnsucht nach dem wunderbaren Wasser bekommen, daß sie bereit waren, alles, was er von ihnen verlangte, zu versprechen. Daß sie vielleicht selber ausziehen könnten, um nach der Quelle zu suchen, fiel ihnen gar nicht ein. Dazu waren sie auch viel zu faul. Der Wald ringsherum wimmelte von wilden Tieren; so brauchten sie auch nicht zu hungern.

Als der Knabe unverletzt vom Berge herabkam und erzählte, daß die Riesen künftig die Einwohner des Landes in Ruhe lassen würden, jubelte das ganze Volk. Der König veranstaltete ein großes Fest und lud den Jungen als Ehrengast ein. Er durfte neben der schönen Prinzessin, des Königs einzigem Töchterlein, sitzen, und der König selbst hielt eine große Rede, in der er ihn den Retter des Landes nannte und ihn fragte, ob er nicht die Prinzessin heiraten und nach seinem eigenen Tode das Reich erben wollte.

Der Knabe dankte ihm herzlich für sein Anerbieten, aber er antwortete, daß er nicht eher ruhen würde, bis er das Land der Sehnsucht gefunden hätte.

Da bot ihm der König einen prächtigen, silberbeschlagenen Wagen an, von vier feurigen Pferden gezogen und mit Kutscher und Diener oben auf dem Bock. Und ihm selbst brachte man eine wunderschöne, goldgesäumte Uniform. Aber dies alles wollte er nicht annehmen.

Da wurde der König ganz traurig und fragte, ob es denn nichts gäbe, was er ihm als Belohnung geben dürfe. „Ich möchte nur ein einfaches Hemd, ein paar warme Hosen, ein paar wasserdichte Schuhe und einen neuen Stock", sagte der Junge. Das bekam er auch, und dann setzte er seine Wanderung fort.

Nun wanderte er wieder viele Jahre und hatte schon die Schuhe wieder abgenutzt und die Kleider abgetragen, die der König ihm geschenkt hatte. Da ging er als Tagelöhner bei einem Bauern in Dienst und arbeitete auf seinem Hof, bis er genug Geld verdient hatte, um sich eine neue Ausrüstung zu kaufen. Der Bauer hatte eine fröhliche, hübsche Tochter, und die beiden jungen Leute gewannen einander lieb. Der Knabe war jetzt ein stattlicher junger Mann geworden, und er hatte die Bauerntochter wirklich von Herzen lieb. Aber sogar die Liebe konnte ihn nicht binden, die Sehnsucht nach dem fernen Land zog ihn wieder fort. Die Bauerntochter weinte, als er Abschied von ihr nahm, als ob ihr das Herz brechen sollte, aber er schwenkte mit frohem Mut den Hut und versprach, bald mit dem großen Schatz zurück zu sein. Dann wollten sie heiraten, und sie sollte es all ihre Lebtage gut haben.

Viele Jahre später kam der Knabe, der jetzt ein Mann in seinen besten Jahren war, in ein anderes Königreich, in dem ebenfalls große Aufregung und Unruhe herrschte. Die junge Königin hatte einen kleinen Sohn geboren, aber die kleinen Zwerge, die unter dem Schloß wohnten, hatten das neugeborene Kind geraubt. Sie waren zornig darüber, daß der König seinen

Arbeitern den Befehl gegeben hatte, eine Wasserleitung nach dem Schloß anzulegen. Ein tiefer Graben war gerade durch ihr Reich gezogen worden, und viele von ihren kleinen Behausungen waren dadurch zerstört. Mehrere Jahrhunderte lang hatten die kleinen Zwerge ungestört da unten gehaust und niemals jemandem etwas zuleide getan. Im Gegenteil, sie waren oft nachts aus ihrem Reich heraufgekommen, um bei den Arbeiten zu helfen, die die Menschen am Abend unvollendet liegen gelassen hatten. Wie oft war es nicht vorgekommen, daß ein Haus, das noch im Rohbau stand, über Nacht ein Stockwerk höher geworden war, oder daß ein Bauer, der sein Heu vor dem Einbruch der Dunkelheit nicht mehr hatte zusammenbringen können, es am Morgen sorgsam angehäuft fand, oder daß die unsichtbaren kleinen Wesen ein krankes Tier gepflegt und geheilt hatten.

Als die Arbeiter mit den Grabungen begannen, wurde der König eines Nachts dadurch wach, daß eine kleine Hand seine Wange berührte. Und als er die Augen aufmachte, sah er ein winzig kleines, altes Männchen mit einem runzligen, häßlichen Gesicht und einer Krone auf dem Haupte neben seinem Kopfkissen auf dem Bettrand stehen.

„Befiehl deinen Arbeitern, daß sie mit dem Graben aufhören", sagte die lächerliche kleine Gestalt mit einer piepsenden Stimme, „sie zerstören unsere Wohnungen."

Der König meinte, das ginge wirklich zu weit. „Ich möchte wissen, wer eigentlich König hier im Lande ist, du oder ich", sagte er. Aber er hatte gleich verstanden, wen er da vor sich hatte. „Willst du vielleicht, daß wir nur deinetwegen ohne Wasser im königlichen Schloß sein sollen?"

„Viele hundert Jahre hat der Brunnen im Schloßgarten Wasser gegeben", antwortete das Männchen, „ich meine, daß du auch jetzt ohne diese neumodischen Einrichtungen auskommen könntest."

„Weißt du nicht, daß das Brunnenwasser unrein und schlecht geworden ist?"

„Mein Volk wird den Brunnen säubern", versetzte der Herrscher der Zwerge.

„Danke!" sagte der König, „aber ich bestimme am liebsten selbst, wie ich es haben will."

„Nimm dich in acht, König", rief da zornig das Männchen, und sein Gesicht verzerrte sich vor Wut. Es verschwand ebenso plötzlich wie es gekommen war.

Einige Tage später kam der kleine Erbprinz zur Welt. Das ganze Volk teilte die Freude der königlichen Eltern. Aber sie dauerte nicht lange. Zwei Tage nach der Geburt war der kleine Prinz verschwunden. Niemand wußte, wie es hatte geschehen können, aber der König ahnte sofort, wer sich an ihm hatte rächen wollen. Er bereute seine unfreundliche Antwort, und am nächsten Tage stieg er in den tiefen Graben hinunter, den man wegen der neuen Wasserleitung gegraben hatte. Da bat er unter Tränen den Zwergkönig um Verzeihung und gelobte feierlich, gleich die Arbeiten einzustellen, wenn er nur wieder sein Kind zurückbekäme. Aber der erzürnte Herrscher der Zwerge antwortete ihm nicht, und unverrichteterdinge mußte der König in sein Schloß zurückkehren. Da schloß er sich ein, und in ruhelosen Tagen und schlaflosen Nächten gab er sich dem Grübeln hin und quälte sich mit Selbstanklagen, bis er vor Verzweiflung und machtloser Wut fast den Verstand verlor. Da er sich nicht an dem unterirdischen Volk zu rächen wagte, wollte er seinen Zorn anders auslassen. Er ließ ausrufen, daß ein Mann in seinen besten Jahren nach dem Schloß gebracht werden sollte. Falls dieser binnen 24 Stunden den kleinen Prinzen wieder herbeischaffen könnte, würde er königlich belohnt werden, wenn es ihm aber nicht gelänge, sollte er es mit dem Leben büßen und ein anderer müsse an seiner Stelle sein Glück versuchen. Auf diese Weise waren schon viele kräftige Männer ums Leben gekommen.

Als man jetzt den fremden Wanderer erblickte, ergriff man ihn und schleppte ihn aufs Schloß, und alle freuten sich darüber, daß man diesmal nicht einen der eigenen Landsleute preisgeben mußte.

Den Mann dünkte es sehr ungerecht, daß auch er umsonst sein Leben verlieren sollte. Wenn es ihm doch irgendwie gelänge, den Zorn der Unterirdischen zu besänftigen und das Kind aus ihrer Gewalt zu befreien! Eine Nacht und ein Tag waren ihm noch beschieden, am nächsten Abend bei Sonnenuntergang war seine Frist um. Er fand es ganz zwecklos, in den Graben am Schloß hinunterzusteigen und dort die kleinen Geschöpfe um Erbarmen anzuflehen, wie es seine Vorgänger alle getan hatten, sondern er ging in den Garten hinaus und setzte sich unter eine große, alte Eiche, die ihre Zweige schützend über ihn streckte. Es war eine milde, sternenklare Nacht, der Wind säuselte leise in den Blättern, und die wilden Blumen, die im Grase ringsherum wuchsen, dufteten stark. In der Ferne, weit hinten am Horizont, erblickte er die Umrisse blauschwarzer Bergketten. Plötzlich begann er in der stillen Nacht laut zu sprechen: „Ist es wahr, daß ich nie mein Ziel, das Land der Sehnsucht hinter den blauen Bergen, erreichen werde, dort wo die wunderbare Quelle mit dem Lebenswasser sprudelt! Wenn ich doch nur ein einziges von diesen kleinen unterirdischen Wesen hier bei mir hätte, dann würde ich ihm von dem wunderwirkenden Wasser erzählen, und gerne würde ich ihm dann versprechen, dem Herrscher der Zwerge einen Trunk davon zu bringen. Vielleicht würde er mir dann mein Leben schenken und den kleinen Prinzen herausgeben." Kaum hatte er zu Ende gesprochen, da raschelte es sachte im Grase zu seinen Füßen, und vor ihm stand ein kleines Wesen, nicht größer als seine Hand.

„Wir haben alles gehört, was du gesprochen hast", sagte der Kleine, „und schon lange erwarten wir dich. Unsere Schriftgelehrten haben vor langen Zeiten schon vorausgesagt, daß du kommen und uns ein wunderbares Wasser bringen würdest. Deswegen wollen wir dein Leben schonen, aber nur so lange, wie du keinen Betrug gegen uns in deinem Herzen hegst."

Hier schwieg der Zwerg, kletterte flink auf des Mannes Schulter, stellte sich auf die Zehenspitzen und riß ihm drei Haare aus, die er sorgfältig in seinem Wams verbarg.

„Solange diese drei Haare ihre braune Farbe behalten", sagte er, „wissen wir, daß du nicht an Verrat denkst. Aber wenn sie eines Tages weiß werden, bedeutet dies, daß du nicht mehr dein Versprechen halten willst. Glaube nicht, daß du dann, wo immer du auch in der Welt sein magst, unserem Zorn entrinnen kannst. Wenn wir unter Beschwörungen diese deine Haare zu Asche verbrennen, dann schwindet deine Lebenskraft dahin, und du stirbst wie eine vertrocknete Pflanze, deren Zeit um ist."

Das Zwerglein kletterte wieder hinunter und verschwand, aber bald kam es mit einer ganzen Schar von Zwergen wieder, die auf ihren Schultern ein kleines Wickelkind trugen. In den Schoß des Mannes legten sie das Kind.

„Sage dem König von uns, daß er den Graben wieder zuschütten lassen möchte und warne ihn davor, uns noch einmal zu stören oder zu reizen", sagten sie. „Mache dich schleunigst auf den Weg, um uns den ersehnten Trunk zu holen."

Das Herz des Mannes jubelte vor Freude über den unerwartet glücklichen Ausgang, und er eilte zum Schloß, um den Eltern ihr Kind zu bringen. Wie glücklich sie waren, als sie es wieder hatten, läßt sich nicht beschreiben. Der König wollte dem Fremden die Hälfte der Schätze geben, die in seiner Schatzkammer aufgehäuft lagen und ihm ein hohes Amt am Hofe geben. Aber der Mann dankte und lehnte es ab. Er wollte nur zur Belohnung neue Kleider, starke Schuhe und einen neuen Stock haben. Dann setzte er ohne Zaudern seine Wanderung fort.

Er wanderte wieder viele Jahre, und als er schon ein alter Mann mit weißem Haar und Bart war, kam er nach einem Land, in dem eine schwere Krankheit wütete. Die Grenze war gesperrt und wurde von Soldaten bewacht, damit niemand hinaus- oder hereinkommen konnte. Der alte Mann sah in der Ferne die blauen Berge, und er verlangte, in das Land gelassen zu werden.

„Bist du närrisch, Alter, oder bist du des Lebens so müde, daß es keinen Wert mehr für dich hat?" sagten die Soldaten. Aber der Alte zeigte ihnen die Bergketten drüben am Horizont. „Dahin muß ich", sagte er, „da liegt mein Ziel."

Da schüttelten sie den Kopf über seine Torheit und ließen ihn durch. — Das Land aber war wie ausgestorben. Die meisten Menschen waren krank, und wer noch gesund war, hielt sich in seinem Häuschen versteckt und hatte alle Türen und Fenster fest verschlossen. Wenn ihm unterwegs jemand begegnete, floh dieser entsetzt, aus Angst, er könne vielleicht angesteckt werden. Aber auch alle Bäche und Brunnen waren vergiftet, und als der Alte das Wasser trank, wurde auch er krank. Das Fieber wütete in seinem Körper und nahm ihm seine letzte Lebenskraft, die Zunge lag vertrocknet in seinem Mund, die Glieder schmerzten, und sein Kopf wollte schier vor Schmerz zerspringen. Aber das Ziel, nach dem er sein Leben lang gestrebt hatte, vergaß er dennoch nicht, und sein eiserner Wille gab ihm die Kraft, sich weiterzuschleppen.

So kam er aus dem heimgesuchten Lande hinaus in öde, weite Heiden, in denen der Wind seine fieberheißen Schläfen kühlte; er wanderte durch große, einsame Wälder, in denen das Sausen der Bäume das Brausen in seinem verwirrten Kopf übertönte.

Mehrere Tage hatte er keine Nahrung zu sich genommen, und seine Kräfte nahmen immer mehr ab. Aber er ging unbeirrt weiter und gönnte sich nicht einmal etwas Schlaf.

Noch einmal kam er an eine hohe Gebirgskette, die er mühsam erkletterte. Aber seine müden, schmerzenden Augen merkten nicht, daß er jetzt endlich sein Ziel erreicht hatte. Dichter Wald bedeckte die Berghänge, aber er sah nicht, daß die Stämme der Bäume bläulich schimmerten, er merkte nicht, daß das dichte Laubwerk blau war wie der Himmel über ihm.

Als er endlich in dem Tal auf der anderen Seite des Berges ankam, sank er zu Tode erschöpft zusammen. Ganz in seiner Nähe rauschte eine kleine Quelle mit saphirblauem, durchsichtigem Wasser, aber er vermochte nicht mehr, sich dorthin zu schleppen, um seinen brennenden Durst zu löschen. Da kam ein Vöglein geflogen und ließ sich am Rande der Quelle nieder. Es flatterte und schlug mit den Flügeln, so daß das Wasser weit umherspritzte. Ein paar Tropfen flogen bis zu der Stelle, an der der kranke, alte Mann zusammengesunken war und befeuchteten seine Stirn. Da öffnete er wieder die Augen und richtete sich auf. Er fühlte neues Leben durch seine Adern strömen, das fieberheiße Blut wurde gekühlt, der alte, abgezehrte Körper wurde wieder jung und frisch. Das weiße Haar wurde braun, die Augen bekamen Glanz, und die welke Haut wurde wieder glatt.

Der alte Mann war ein Jüngling geworden, und leicht wie eine Feder sprang er vom Boden auf.

„Endlich, endlich bin ich am Ziel", rief er aus, „dies muß die Quelle des Lebens sein."

Er beugte sich hinab und trank in tiefen Zügen von dem frischen Wasser. Dann pflückte er einige große, dicke Blätter, die neben der Quelle wuchsen, fügte sie zu einer Schale zusammen und füllte sie mit Wasser.

„Ich will es den Zwergen und den Riesen bringen", dachte er, „aber jetzt darf ich den verborgenen Schatz nicht vergessen."

Er wanderte zwischen den blauschimmernden Baumstämmen dahin, nach allen Seiten spähend und zerstreut dem großen Schweigen lauschend, das ringsum herrschte. Keine Menschenstimme unterbrach die Stille, kein Tier streifte im Waldesdunkel umher. Nur einzelne Vögel und Schmetterlinge huschten manchmal auf ihrem Flug hinaus in den Sonnenschein wie große lebendige, leuchtende Saphire durch die Zweige. Ab und zu kam er zu einer Lichtung und blickte über Wiesenhänge mit seidenweichem, blauem Gras und den wunderbarsten blauen Blumen. Aber er achtete gar nicht auf all diese Schönheit, die ihn umgab. Er dachte nur daran, wie er den großen Schatz finden könnte.

„Es gibt ja hier so viele mächtige Bäume", dachte er, „wie soll ich wissen, welcher der rechte ist."

Da sah er in der Ferne zwischen den Stämmen etwas schimmern und funkeln. Er eilte dorthin, und als er näher kam, sah er, daß es ein großes Schloß aus bläulichem Kristall war. Einige Sonnenstrahlen glitten durch das Laubwerk der mächtigen Bäume nieder, und die Wände warfen sie in allen Farben des Regenbogens funkelnd zurück. Er konnte von draußen in das Schloß hineinschauen, aber nirgends erblickte er ein lebendes Wesen.

Die großen, schweigenden Gemächer mit zahllosen Spiegeln an den Wänden waren leer und öde. Das große, mit Edelsteinen eingelegte Schloßtor stand auf, und er ging hinein. Er ging durch alle die leeren Säle, und seine einsamen Schritte riefen manch schlafendes Echo wach.

„Dies muß ein verzaubertes Schloß sein", dachte er.

Da ging es wie ein leises Flüstern durch das schweigende Schloß: „Du bist im Schloß der Erinnerungen."

Der Knabe blieb stehen und schaute in einen der vielen Spiegel hinein. Und siehe, als er sein Bild darin betrachtete, wurde es allmählich ausgelöscht. Das Glas wurde matt, als ob jemand es angehaucht hätte. Die Umrisse ferner Landschaften, ferner Gegenstände und Menschen zeichneten sich immer deutlicher ab in dem Dunst über dem Glas, und plötzlich fing sein Herz unbändig an zu pochen, als wollte es die Brust zersprengen. Seine Augen füllten sich mit Tränen. Im Spiegelglas sah er das liebe, rote Häuschen, wo er seine ersten Kinderjahre verbracht hatte, er sah die Großmutter mit dem Strickstrumpf auf der Treppe sitzen, sah des Vaters strenges Antlitz und die kräftige Gestalt und der Mutter freundliche, müde Augen, wie sie vom Morgen bis zum späten Abend schaffte und arbeitete, um das kleine Haus in Ordnung zu halten. Er sah die Geschwister draußen im Gärtchen spielen, und er sah sich selbst mit dem Gesicht an die Latten des Zaunes gedrückt stehen und in die Ferne über die sonnenbeglänzten wogenden Kornfelder und die grünen Wiesen nach den im blauen Mittagsdunst verschwimmenden Bergen blicken. Eine große, heiße Sehnsucht nach der Heimat und allen Lieben stieg in ihm auf.

„Ich will heim", rief er, und seine Stimme hallte laut durch die leeren Räume.

Er wandte sich um, um aus dem Schloß zu eilen. Aber da begegnete ihm in der gegenüberliegenden Spiegelwand ein anderes Bild. Er sah seine Braut, das hübscheste Bauernmädchen, das je gelebt hatte und das treu auf ihn wartete, bis er wiederkäme. Sie stand in der Haustür und spähte in die Ferne hinaus. Mitten im Sonnenschein stand sie, und ihre goldgelben Zöpfe schimmerten um ihr Haupt wie ein Heiligenschein.

„Viel zu lange bin ich fort gewesen", dachte der Knabe, „nicht einen Augenblick will ich länger hier verweilen, wenn ich den Schatz gefunden habe. Denn mit leeren Händen möchte ich nicht heimkommen."

Er hatte völlig vergessen, daß er alt gewesen und daß er schon so lange von der Heimat fort war. Es fiel ihm gar nicht ein, daß seine Eltern, seine Geschwister und seine Braut schon lange tot sein könnten. Fühlte er sich doch selbst so jung und stark. Er eilte in den Wald hinaus und begann eifrig nach dem Schatz zu suchen.

Nach einigen Tagen kam er zu einem großen Baum, in dessen Schatten sich ein kleiner Erdhügel erhob. Eine Ahnung sagte ihm, daß hier der Schatz vergraben liegen müsse. Mit den Händen grub er in der lockeren Erde, und bald stieß er auf eine alte Holzkiste. Darin lag ein Sack mit Gold und kostbaren Edelsteinen. Als der Knabe den Sack ergriff, um ihn aufzuheben, kam eine seltsame, kleine, blaue Eidechse unter der Baumwurzel hervor. Sie sah ihn mit ihren schwarzen, lebhaften Äuglein an, huschte dicht an ihn heran, erhob ihr Köpfchen und begann mit einer sanften, freundlichen Stimme zu reden.

„Dieser Schatz ist verzaubert", sagte sie „er gehört dir, da du ihn gefunden hast, aber du kannst nichts damit anfangen, ehe du den Zauber, der daran haftet, gebrochen hast. Wenn jemand anders die Goldstücke und Edelsteine berührt, werden sie in welkes Laub verwandelt. Nichts kannst du damit kaufen oder erwerben, denn wer will wohl als Bezahlung eine Hand voll welken Laubes haben?"

Das fand der Knabe zu ärgerlich, denn er hatte sich so darüber gefreut, seine Eltern reich und im Alter sorgenlos machen zu können.

„Wie kann ich den Bann lösen?" fragte er.

„Wenn du den Schatz an den Altar einer Kirche legst und ihn drei Tage und drei Nächte dort liegen läßt und während der Zeit mit keinem Menschen sprichst und keine Nahrung zu dir nimmst, dann wird der Zauber wahrscheinlich gebrochen sein."

„Wenn es weiter nichts ist", versetzte der Junge froh, „das will ich wohl tun. Daheim in die kleine Landkirche will ich meinen Schatz legen. Meinen Eltern werde ich ein ruhiges, sorgenfreies Alter bereiten. Ein neues, prächtiges Haus werde ich ihnen bauen lassen, und jeden Tag werden sie sich satt essen können. Und wenn sie Sonntags in die Kirche gehen, werden die anderen Bäuerinnen meine Mutter beneiden und ihres kostbaren Schmuckes wegen glücklich preisen. Meine Braut wird die reichste und glücklichste Frau im ganzen Kirchspiel sein. Wir wollen uns einen großen, schönen Hof kaufen, viele Mägde und Knechte haben und einen Stall voll Pferde und prächtiger Kühe. Meine Frau wird keine Hand an die Arbeit legen müssen, sondern sie wird ihre Freude daran haben, schöne Handarbeiten mit Perlen und Edelsteinen zu besticken."

„Dann wünsche ich dir viel Glück", sagte die Eidechse und verschwand. Der Junge lud den Sack auf den Rücken und wanderte der Heimat zu.

Als er in das von Krankheit heimgesuchte Land kam, sprengte er ein wenig von dem Lebenswasser in die Brunnen, an denen er vorüberkam. Er begegnete diesmal mehreren Menschen draußen und erfuhr, daß die schlimmste Zeit vorüber und die Krankheit schon im Abnehmen sei.

Er wanderte und wanderte, aber der Weg schien ihm unendlich lang. Viele, viele Jahre vergingen, ehe er endlich in dem Königreich angelangt war, in dem die Zwerge wohnten. Da war er schon wieder ein Mann in seinen besten Jahren. Als er zu dem großen Baum kam, unter dem er in jener schicksalsschweren Nacht gesessen hatte, sah er darunter eine kleine Silberschale auf dem Boden stehen. Er begriff, daß die Zwerge sie dorthin gestellt hatten, und er goß den letzten Rest des Wassers hinein, den er nur mit großer Mühe so lange in der Blattschale hatte bewahren können.

„Jetzt habe ich nichts mehr für die Riesen übrig", dachte er, „aber sie sind so dumm, daß ich mich sicher an ihrem Berg vorbeischleichen kann, ohne daß sie mich erblicken."

Beim Weitergehen sah er, daß aus allen Häusern Trauerfahnen hingen. Er fragte einen Vorübergehenden, was das bedeute.

„Weißt du nicht, daß der König gestorben ist?" fragte jener verwundert.

„Wie geht es denn dem jungen Prinzen?" fragte er zurück.

„Dem jungen Prinzen", wiederholte der andere erstaunt, „das ist ja gerade das Traurige bei der Sache, daß der alte König keinen Erben hinterläßt."

„Ist der kleine Prinz, den ich aus der Gewalt der Zwerge befreite, auch gestorben?" fragte er weiter.

„Du bist wohl nicht recht gescheit", sagte der andere, „der König hat nie einen Sohn gehabt. Es wird gemunkelt, daß er selbst als Neugeborenes von den Unterirdischen geraubt wurde, aber damals warst du ja noch nicht geboren."

Das alles kam ihm rätselhaft vor. Er zerbrach sich den Kopf darüber, was das wohl bedeuten sollte, aber er konnte nicht klug daraus werden, und so schlug er sich die Sache aus dem Kopf und ging weiter.

Wieder vergingen viele Jahre. Im ewigen Kreislauf folgte dem Winter der Frühling und dem Sommer der Herbst mit seinen rauhen Stürmen und Nebeln. Ständig wanderte der Mann der fernen Heimat zu. Als er endlich nach dem Bauernhof kam, in dem seine Liebste gewohnt hatte, klopfte er an die Tür. Eine fremde Frau öffnete ihm. Sie sah ihn erstaunt an. Da fragte er nach dem Bauern, bei dem er gedient hatte.

„Den kenne ich nicht", sagte die Frau.

„Weißt du denn, wohin er gezogen ist?"

Sie schüttelte den Kopf. „Auf diesem Hof wohnten schon meine Eltern, und sie hatten ihn von den Großeltern geerbt. Du mußt fehlgegangen sein."

Der Alte blickte um sich. Nein, er täuschte sich nicht. Das war derselbe Hof: dort lag ja der wohlbekannte See mit der Landzunge, wo die großen Weiden ihre Zweige in den Wasserspiegel tauchten. Und dort war der steile Berg, wo die wilden Himbeersträucher wucherten und auf dessen Gipfel eine alte Eiche ihre knorrigen Zweige gegen den Himmel streckte. Und hier war die Bank am Brunnen, wo sie abends zusammen gesessen hatten. Aber wo waren die alten Apfelbäume vor dem Hause und wo war die Brücke am Strand? Jetzt erst merkte er, daß das Haus angebaut und neu gestrichen war. Und siehe, die kleine Tanne dort am Hausgiebel war jetzt so groß geworden, daß sie das Haus überschattete.

Der alte Mann blickte verwirrt und hilflos um sich. Er war ganz blaß geworden.

„Dir ist nicht ganz wohl", sagte die Frau, „komm doch herein, um dich ein bißchen auszuruhen." Aber er schüttelte den Kopf.

„Danke, ich muß weitergehen", sagte er.

Er wanderte gedankenvoll zwischen Äckern, Wiesen und Bauernhöfen dahin, aber nur fremde Menschen begegneten ihm. Viele neue Häuser waren gebaut, während er fort gewesen war, und einige von den alten waren verschwunden. Ein großer Sumpf außerhalb des Kirchspiels war trockengelegt, und die Landstraße führte jetzt darüber hin. Er fragte alle, die ihm begegneten, nach dem Bauern, aber niemand kannte ihn. Zuletzt traf er ein uraltes Mütterchen, das ihm Bescheid geben konnte.

„Als meine Großmutter jung war, lebte ein Bauer mit demselben Namen in dem Hof drüben", sagte es. „Er hinterließ bei seinem Tode eine einzige Tochter. Man sagte, sie hätte eine unglückliche Liebe gehabt, und sie lebte lange unvermählt. Aber zuletzt heiratete sie jemand von auswärts. Als ich ein Kind war, ist sie gestorben. Da war sie schon sehr alt."

Da blickte der Mann das Mütterchen an. „Ich träumte", dachte er.

Endlich kam er in das Land, in dem die Riesen sich niedergelassen hatten, aber als er nach ihnen fragte, konnte sich niemand ihrer entsinnen.

„Vor langen, langen Zeiten wohnten einst hier im Lande einige Riesen", antwortete schließlich ein Mann auf seine Fragen, „aber es gefiel ihnen wohl hier nicht mehr, denn sie zogen bald fort. Wohin, weiß ich nicht."

„Desto besser", dachte der Alte. Nach dem König und der Prinzessin traute er sich nicht mehr zu fragen. Düstere Ahnungen stiegen in ihm auf. Würde er vielleicht keinen seiner Lieben mehr am Leben finden?

Mit klopfendem Herzen näherte er sich der Heimat. Siehe, dort waren die Äcker und Wiesen und der kleine Waldhügel — aber wo war das Häuschen? Er spähte und spähte mit seinen alten, müden Augen, aber dort, wo es gestanden hatte, nahm jetzt der Wald mit dunklen Tannen und hellen Birken den Boden in Besitz. Er ging dahin, um zu sehen, ob nicht einige Spuren davon zu finden wären. Dann fand er die Kellermauern, die mit Moos überwachsen waren. Das war alles, was vom Hause übriggeblieben war. Aber siehe, dort war ja auch der große Felsblock, auf dem er als Kind so gerne rittlings gesessen hatte, dort war der Brunnen, dort rieselte der kleine Bach, an dessen Ufern er so oft mit seinen Geschwistern gespielt hatte. Und dort standen noch ein paar baufällige Pfähle, die Reste des Zaunes, der das Königreich seiner Kindheit umgeben hatte.

Was war denn geschehen? Wo waren seine Lieben? War es nicht alles nur ein böser Traum? „Laß mich erwachen und sehen, daß es alles nicht wahr ist", jammerte er. Er warf den schweren Sack, den er alle diese Jahre mit sich geschleppt hatte, auf den Boden, sank daneben in sich zusammen und verbarg das Gesicht in den zitternden, alten Händen. Was nützte ihm jetzt der große Schatz!

„Zu spät, zu spät", murmelte er.

Er war so müde, daß er einschlief, und er wachte nie mehr auf.

Einige Wanderer fanden ihn am selben Tage, und man begrub ihn in einer Ecke des kleinen Friedhofes. Auf seinem Grab wurde ein einfaches Kreuz ohne Namen errichtet, denn niemand kannte ihn und keiner wußte, woher er kam. Den Sack ließ man liegen. Er war mit welkem Laub gefüllt.

INHALTSVERZEICHNIS